D1086664

ALORS VOUS NE SEREZ PLUS JAMAIS TRISTE

Médecin généraliste, Baptiste Beaulieu est l'auteur d'un premier livre remarqué, *Alors voilà. Les 1 001 vies des Urgences*, qui a connu un très beau succès de librairie, a été traduit en douze langues et a reçu le prix Lire dans le noir / France Culture. Son blog alorsvoila.com compte plus de cinq millions de visiteurs.

Paru dans Le Livre de Poche :

ALORS VOILÀ. LES 1001 VIES DES URGENCES

BAPTISTE BEAULIEU

Alors vous ne serez plus jamais triste

Conte à rebours

FAYARD

ISBN : 978-2-253-08769-4 – 1re publication LGF

Vieux, parricide, incestueux, sacrilège, sans couronne et jeté sur les routes de la Grèce, Œdipe aura ces mots : « Malgré tant d'épreuves, mon âge avancé et la grandeur de mon âme me font juger que tout est bien. »

Œdipe à Colone, SOPHOCLE.

« Aux lignées condamnées à cent ans de solitude, il n'était pas donné sur terre une seconde chance. »

Gabriel García MÁRQUEZ.

AVERTISSEMENT

Les pages du livre que vous tenez entre les mains sont numérotées de façon décroissante.

Cela n'est pas une erreur de l'éditeur, mais une volonté de l'auteur.

L'histoire que vous allez lire raconte les sept derniers jours d'une vie.

Cette histoire est un conte à rebours.

Quand je raconte la fabuleuse histoire du Docteur qui voulait mourir, je me souviens que, bien des années plus tôt, il avait soigné Mme Barque. L'abdomen de Mme Barque était gros, un vrai melon d'eau. L'équipe avait beau la ponctionner, elle revenait aussitôt dans le même état. On la ponctionnait de nouveau et on prélevait presque trois litres chaque fois. Un vrai tonneau des Danaïdes que l'équipe écopait de son mieux. Mme Barque était une habituée du service ; la première fois qu'elle vit le jeune médecin engoncé dans ses habits propres d'étudiant, elle refusa qu'il vidât son ventre.

— Je suis chi-chi pompon : j'ai peur des aiguilles et des étudiants qui les manient.

Le jeune Docteur, dont c'était le premier stage, quitta la chambre à reculons. Il y repassa toutes les heures, souriant, restant quelques minutes avant de repartir comme il était venu, silencieux et docile. Quand la patiente accepta enfin de le laisser faire, il s'y prit avec une maladresse touchante et un vrai souci de délicatesse. Après ce coup d'essai, elle ne voulut que lui. Il revint dans la chambre la ponctionner deux ou trois fois par semaine. En toute logique, ils devinrent amis. Hélas, un jour, il lui dit :

— Madame Barque, mon stage s'achève. Bientôt, un autre interne s'occupera de vous. Je suis désolé.

Elle eut l'air inconsolable, il s'enfuit vite.

Bien sûr, de temps en temps, le jeune Docteur appelait pour prendre des nouvelles. Il tombait sur ses remplaçants :

— Elle ne veut que moi et personne d'autre ! répondaient-ils.

Il avait beau se réjouir pour elle, il lui était impossible d'effacer cette étrange sensation qu'une longue paire de cornes avait poussé sur son front.

Idiot ! pensait-il. Avant, elle ne voulait que toi...

Un an plus tard, quand il fut de retour dans cet hôpital, il fit un saut dans son ancien service :

— Est-ce que Mme Barque est là ?

— On l'attend jeudi pour la ponctionner. Tu veux le faire ?

— Et comment !

Le surlendemain, il se leva, se rasa de près, mit de l'ordre dans ses cheveux blonds, puis il enfila une blouse propre.

Quand il entra dans la chambre, il pensa qu'elle n'avait pas changé, qu'elle avait toujours ce beau visage, qu'il se sentait chanceux d'être avec cette femme et de pouvoir la soigner de nouveau.

Oui, vraiment, il pensa qu'il était heureux.

Ils se sourirent :

— Comme avant ? demanda la patiente.

— Comme avant, répondit le jeune homme.

Bien des années s'étaient écoulées depuis lors. Le médecin avait maintenant la quarantaine débutante, ses cheveux mi-longs étaient bien plaqués derrière les oreilles, ses pommettes roses. Avec ça, une entaille rouge pour les lèvres et le visage si triste que sa figure paraissait terne et délavée.

Au travail, il portait toujours le même pantalon sombre, la même chemise claire impeccablement repassée. Il aurait été bien incapable de s'habiller autrement : depuis la mort de sa femme, il était devenu un homme en noir et blanc.

D'ailleurs, le matin d'hiver où commença cette histoire, les dieux du Nord avaient saupoudré la ville de neige, le soleil brillait, un oiseau pépiait gaiement sur la branche d'un figuier et la vie du Docteur avait pris un tour définitif : il avait décidé de se tuer le soir même.

SEPT JOURS AVANT L'ENTERREMENT

Une rencontre sous le figuier

Il était tôt quand il sortit de chez lui et vit un taxi flambant neuf stationné près du figuier rouge. Habituellement, il marchait longtemps avant d'en trouver un et, ce jour-là, il avait eu la mauvaise idée d'enfiler une simple paire de mocassins en daim, sur lesquels apparaissaient déjà des auréoles humides. Repérant des empreintes creusées dans la poudreuse, il progressa vers la voiture en y coulant ses pas.

Le voisin du dessous, dodu et court sur pattes, le doubla et se dandina jusqu'au véhicule.

« Merde ! songea le Docteur, si je pousse jusqu'au boulevard, c'est sûr, mes souliers seront bons à jeter. »

Il tenait beaucoup à ses chaussures, un moyen comme un autre pour ne pas trop penser à la mort.

Le voisin échangea trois mots avec le chauffeur, mais continua son chemin en lançant une bordée de jurons.

Une main ridée, suivie d'une montre bleue au poignet, passa alors par la fenêtre avant du taxi et tapota avec élégance l'extrémité d'une longue cigarette. Parvenu à la hauteur du conducteur, le Docteur surprit une vieille dame farfouillant dans un sac à main où régnait un bazar indescriptible. Elle poussa tout à coup un cri de ravissement et, avec l'agilité d'une magicienne, fit surgir deux petits cachets blancs qu'elle avala aussitôt.

— Vous êtes libre ? dit-il après avoir toussé pour signaler sa présence.

La vieille tourna la tête et l'observa sans rien dire ni même cligner des yeux. Son corps efflanqué flottait dans une robe de soirée à la fois élégante et parfaitement saugrenue.

— Alors ? Vous êtes libre ? répéta le Docteur en plaquant un semblant de sourire sur le masque gris qui lui servait de visage depuis des mois.

Mamie-Robe-de-soirée désigna la banquette arrière et il remarqua que son poignet droit portait aussi une montre, jaune celle-ci.

— Allez-y, mon petit, montez.

La vieille magicienne

En pénétrant dans l'habitacle, plusieurs odeurs chatouillèrent ses narines : cuir, tabac ambré, eau de toilette capiteuse. Instinctivement, il rechercha l'odeur de sa femme. Pour la forme, il demanda à la conductrice si son parfum était français.

La vieille haussa les épaules. Dans le rétroviseur, le coin de ses yeux se plissa sous l'effet d'un sourire large et franc.

— Il est français, confirma-t-elle. Ma dernière folie. Je ne cède pas à mes envies, je m'en débarrasse.

Silence gêné. Le Docteur ouvrit la bouche pour indiquer sa destination quand la vieille le devança : elle ne démarrerait pas avant qu'il ait attaché sa ceinture.

— Imaginez qu'on ait un accident… (Elle frappa violemment du poing sur le tableau de bord.) Saint Christophe ! On ne meurt pas dans mon taxi, monsieur.

L'homme attrapa docilement la bande de tissu et enclencha le mécanisme. Elle hocha la tête, puis caressa fugitivement une cicatrice en forme de huit sur son front. Ses yeux s'attardèrent une seconde sur les mains de son passager.

— Êtes-vous pianiste, mon petit ?

L'homme jeta un coup d'œil impatient à sa montre : il voulait mourir, il allait mourir, il n'avait plus de temps à perdre.

— Je suis chirurgien. Amenez-moi clinique Ouest, s'il vous plaît, répéta-t-il sans camoufler son agacement.

— Et s'il ne me plaît pas ?

— Pardon ?

— Je dis que je ne vous emmènerai pas là-bas, mon petit. Je n'en ai pas envie. En revanche, je connais un bistrot où ils font un café infect, mais des beignets à damner le diable lui-même.

Sa voix était rocailleuse, et le Docteur marqua une certaine hésitation : partir ou rester ? Le bon sens décida pour lui : hors de question de ficher en l'air ses mocassins. Il tapota son poignet.

— L'heure tourne, madame. Vous êtes chauffeur de taxi ? Conduisez !

— Bla-bla-bla, le singea-t-elle en faisant miroiter ses montres avant d'écraser brutalement sa cigarette dans le cendrier (on aurait juré qu'elle écrabouillait un serpent) et d'en attraper une nouvelle. Vous ne seriez pas le premier médecin à faire languir ses patients ! (Elle fit le geste de porter quelque chose de la droite vers la gauche de l'habitacle.) L'espérance de vie que les médecins vous ajoutent d'un côté, ils vous la rognent de l'autre dans leurs salles d'attente. Avez-vous des rendez-vous ?

— Non, mais j'ai des papiers à mettre en ordre, lança-t-il à tout hasard, soudain conscient qu'aller s'enfermer dans un bureau le dernier jour de sa vie était irrationnel. De toute façon, ça ne vous regarde pas.

— Des papiers ? Juste des papiers ? Rien ne presse, donc. C'est décidé, café infect et beignets diaboliques !

Un nouvel effluve de parfum frappa les narines du Docteur, il pensa à sa femme et se mit à transpirer abondamment malgré le froid de l'hiver. Son épouse disait toujours qu'il avait une patience d'ange.

— Donnez-moi seulement une bonne raison de vous suivre, madame.

— Aucun problème : tante Maria.

— Tante Maria ? dit-il en fronçant les sourcils.

— C'était un petit bout de femme formidable ! La numéro quatre d'une grande fratrie et elle avait un...

Agacé, il posa ostensiblement ses doigts sur la poignée de porte : la vieille était prévenue.

— Tante Maria avait un don, fit-elle précipitamment. Quand elle a senti sa dernière heure venue, elle me l'a transmis. (Les traits de la vieille changèrent, son expression se fit plus convaincante.) Il lui suffisait de regarder quelqu'un dans les yeux pour deviner l'heure et la date exacte de sa mort.

Il la vit se pencher vers lui et humer l'air, les narines palpitantes.

— Vous avez beau donner le change admirablement, rien n'y fait : vous cocottez le sapin, Teddy Bear.

Le pays dévasté

Le Docteur resta sans voix, puis il sentit brutalement l'air lui manquer. Tout en desserrant son nœud de cravate, il enleva sa ceinture et se jeta dehors. Ses forces l'abandonnèrent et il s'affala sur le trottoir, un petit nuage de poudreuse s'envolant de chaque côté de ses fesses.

La vieille dame sortit nonchalamment de la voiture, saisit un tapis de sol, et le posa près de lui. Elle était aussi belle que vieille, et plus osseuse qu'un parapluie replié.

— Tante Maria ne se trompait jamais, mon petit.

Elle posa la main sur l'épaule du médecin.

— On n'a jamais vu un condamné refuser un ultime beignet !

Tout se bousculait dans la tête de l'homme, il sentit à peine le froid envahir son pantalon.

— Comment avez-vous deviné ?

Elle forma rapidement une boule de neige, y colla deux gros trous pour les yeux, deux petits pour le nez, puis un sillon pour les lèvres. Elle lui expliqua que c'était écrit sur son visage, et surtout dans ses yeux :

sous les cils, qu'il avait très longs et très blonds d'après elle, dans ses prunelles et sur le bord de l'iris. Il avait beau dépenser une énergie folle pour faire semblant, c'était écrit, et elle n'avait fait que lire : « Salut ! La Mort vient et elle sera violente. Un suicide, sans aucun doute. Bisou. »

— Ils sont vraiment bons, vos beignets ?

Il ne savait pas pourquoi il avait posé la question, c'était idiot. Il serra les mâchoires, comme s'il était inquiet à l'idée d'ajouter autre chose.

— Saint Christophe ! jura-t-elle en catapultant la boule contre le figuier, vous n'en mangerez plus de meilleurs !

La vieille aida le Docteur à se relever du trottoir et l'installa à côté d'elle dans la voiture. Après le cuir de ses chaussures, il s'inquiéta pour celui des sièges, parce qu'il était mouillé et allait tout tacher.

— On s'en moque, dit-elle, ce n'est que de la peau de vache morte.

Tout en attachant sa ceinture, elle lui assura que le café était vraiment infect. « Du jus de chaussettes, et des très sales ! »

Il secoua la tête, comme prêt à rendre les armes.

— Je n'ai pas soif, madame.

— Moi non plus, mon petit.

— Ni faim, tenta-t-il, à bout d'arguments.

Les lèvres de la vieille dame se fendirent d'un sourire radieux.

— C'est formidable ! ajouta-t-elle. Nous partageons déjà tellement de points communs ! C'est entendu, nous n'irons pas là-bas. Et j'ai des mouchoirs, si vous voulez pleurer.

— Il en faudrait trop.

— J'ai une serviette dans le coffre, elle servait pour les chiens.

— Ils pleuraient ?

— Non, ils empestaient ! Imaginez deux gros labradors fous et excessifs, ajouta la vieille dame. Un jour, j'ai lancé un morceau de bois, ils m'ont rapporté un arbre !

Cela ne fit pas rire le Docteur : c'était grâce à un chien perdu dans un couloir d'hôpital qu'il avait rencontré sa femme. Il jeta un coup d'œil pressé vers la route, et la conductrice enfonça la clef de contact : la radio hurla à plein volume et la cigarette mal coincée entre ses lèvres tomba sous le siège.

— Perd rien pour attendre, celle-là, je la fumerai plus tard. Et jusqu'au trognon.

Puis se tournant vers lui :

— Alors ?

L'homme la fixa et lui sourit. Comme ça. À tout hasard. Elle avait l'âge d'être sa mère et il pensa naïvement qu'un sourire suffirait à la faire taire.

— On discute ? s'entêta-t-elle.

Échec… Il se tourna vers la vitre d'un air résolu et exigea qu'elle l'emmène à l'hôpital.

— Nous parlerons pendant le trajet.

Elle fit vrombir le moteur.

— S'il nous faut plus de temps, Teddy Bear ?

— Je suis fatigué, répondit-il du bout des lèvres en pensant très fort que la vie était laide, le monde petit, qu'il n'avait envie de rien d'autre que de trier des papiers, et que ce soir, tout serait fini.

— Non, non et non ! s'emporta-t-elle. On ne démissionne pas de la vie sur un coup de tête !

Il allait lui répondre, mais il aperçut son reflet dans le rétroviseur et soupira. Il ne restait plus grand-chose de sa carrure de bûcheron et de ses mains d'accoucheur. Avant, on disait de lui qu'il n'était pas très beau, mais qu'il avait du charme. De l'allure. Maintenant, ses épaules tombaient et il ne savait plus sourire sans avoir l'air triste. On sentait qu'il avait perdu quelque chose qu'il ne retrouverait jamais. Il était découragé, voilà. Découragé. Au fond de lui-même, derrière ses yeux verts que soulignaient de larges cernes, son visage était baigné de larmes.

La vieille ne s'y trompa pas.

— Quelque chose me dit que vous êtes de ces gens blasés, insupportables de pessimisme, fit-elle avec un geste d'agacement un peu dégoûté.

— Étrange, parce que je vous devine capable de bien pire : d'indécrottable optimisme.

— C'est meilleur pour la santé, rétorqua-t-elle en allumant une nouvelle cigarette. Maintenant, répondez-moi : quelles sont vos raisons d'en finir ?

Le Docteur garda le silence. Pourquoi la mort ? Pourquoi le néant et l'oubli ? Il était malheureux. La vieille dame, son épouse, les passants sur le trottoir… tout le monde sait ce que ça fait d'être malheureux. Lui le savait trop pour continuer à vivre avec, voilà tout.

— Teddy Bear ! cria son chauffeur.

La vieille dame, impérieuse et obstinée, réitéra sa demande d'un claquement de langue : elle voulait une explication.

Il aurait pu dire les choses simplement : « Ma femme est morte. » Ni plus, ni moins. La vieille aurait compris. Il n'en fut pas capable. Alors il parla à voix très basse, le regard sur le tableau de bord, le menton rentré, terrassé par une mélancolie immense :

— J'ai fait une erreur, ma femme m'a quitté. Je l'aime encore. Depuis son départ, je ne sais plus opérer. D'ailleurs, mes mains sont foutues. Je crois que c'est parce que je n'ai plus de souvenirs heureux de ce métier.

— Mais surmontez cette séparation et bâtissez quelque chose de neuf, mon petit ! s'exclama-t-elle en voyant sa longue carcasse se casser en deux. Vous n'avez pas d'autre choix ! La vie ne vous tombe dessus qu'une seule fois : ce n'est jamais une fois de trop.

Puis elle enfonça deux doigts dans le cendrier et farfouilla dedans pour se détendre. Il la crut sur le point d'avancer une idée profondément positive. Mais non. Son stock était vide, il n'y avait rien d'autre à dire. De là à croire que même l'optimisme a ses limites…

À l'intérieur de l'habitacle, un saint Christophe pendu au rétroviseur cognait le miroir avec un rythme insupportable. La vieille continuait de pétrir la cendre et le Docteur trouva cela dégoûtant. Il décrocha du pare-soleil une photo jaunie où un homme noir souriait en adressant le V de la victoire à l'objectif. Tourner nerveusement la photo dans tous les sens pour essayer d'apercevoir un lieu ou une date ne lui apprit rien.

— Remettez-la à sa place, Teddy Bear.

— Qui est-ce ?

Tout était bon pour dévier le cours de la discussion. Elle ne répondit pas, alors il demanda :

— Pourquoi m'appelez-vous Teddy Bear ?

Elle se frappa le crâne avec le poing.

— Vous êtes comme l'ours en peluche : vous avez de la mousse dans la tête.

— Je croyais que c'était un surnom affectueux.

— Ça l'est, dit-elle avec un tic d'agacement ou d'impatience en lui arrachant la photo des mains. Vous ne vous déroberez pas en changeant de sujet, je vous aurai à l'usure. J'en ai brisé des plus difficiles. (Elle jeta un œil sarcastique à son pantalon.) Et des plus secs !

— Les chauffeurs de taxi s'improvisent-ils tous psychothérapeutes dans cette foutue ville ?

— Saint Christophe, oui, trois fois oui ! Sinon, cette « foutue ville », comme vous dites, irait beaucoup plus mal.

Elle avisa son reflet dans le rétroviseur.

— Regardez-moi. Quelle horrible vieille dame ! À mon âge, on ne se maquille pas pour plaire, on se maquille pour ne pas déplaire. Ce matin, le fond de teint ne suffisait plus, j'ai mis du plâtre.

Il murmura tout bas :

— Et moi, j'aurais dû enfiler des bottes.

Elle l'entendit et lui asséna une violente claque sur la cuisse. Ça lui arracha un hoquet de surprise. Il se détachait tellement de ce monde, et même de son corps... Cette claque laissa une petite marque cuisante juste au-dessus du quadriceps. Deux doigts et une paume. Chauds et douloureux. De la même manière, les joues du Docteur reprirent des couleurs et il se sentit inexplicablement moins nauséeux.

— Et votre famille ? s'exclama-t-elle en frappant de nouveau. Je parle de la mienne, mais vous ? N'avez-vous pas de famille ?

— Un grand-père. Il est mort.

Le Docteur n'avait jamais été très loquace et l'approche de la mort ne l'avait pas rendu plus bavard.

— Vos parents ?

— Je ne veux pas en parler.

— Allons, tout le monde a des parents !

— Les miens n'existent plus, ils n'ont jamais existé. C'est mon grand-père qui m'a élevé, mon grand-père qui m'a tout appris.

— Des amis ?

— Aucun d'indispensable. J'ai toujours été très solitaire, je ne manquerai à personne.

La solitude accrue de ses dernières semaines avait permis au Docteur de développer une théorie très personnelle sur l'opportunité ou l'inopportunité d'un suicide : « À combien de personnes pouvez-vous téléphoner, dire : "C'est moi" et être reconnu ? Si la réponse est : "Personne", alors le suicide reste sans aucun doute votre meilleure option. »

Un souvenir du père

La vie n'avait pas été tendre avec le Docteur.

Le jour de ses vingt-quatre ans, il entre dans la chambre 7 du service d'oncologie de l'hôpital où il apprend son métier et tombe sur celui qu'il a désigné toute son enfance sous le terme de « l'autre », l'inconnu, l'homme qu'il espérait ne jamais recroiser de sa vie et qu'il n'avait pas vu depuis vingt ans.

Son père.

Celui-ci reconnaît le jeune médecin. Le jeune médecin reconnaît le patient et part s'entretenir avec son chef. Dans l'après-midi, l'étudiant est transféré dans les étages.

Les nouvelles tournent vite à l'hôpital. Les gens adorent se mêler de la vie des autres. On se permet des libertés, des jugements, des réflexions : « Tu sais, on a eu les résultats de son bilan », « Tu sais, ce qu'il a, c'est quand même grave… », « Tu sais, il a mal et on n'arrive pas à le soulager… », « Tu sais, il a posé des questions sur toi… »

Et la question qui revient sans cesse, celle pour laquelle le jeune Docteur pourrait casser des dents :

« Et pourquoi tu ne vas jamais le voir ? »

Oui, il sait pour la gravité de la maladie ; non, il n'ira pas voir le patient de la chambre 7.

Lorsqu'on lui annonce la rémission totale du patient, il n'y va pas davantage.

« Il est guéri ! Guéri, tu entends ? C'est quand même incroyable ! »

Il est tout jeune médecin, à l'époque, il s'occupe des patients du service au-dessus, prend soin des malades et fait correctement son travail. Il ne s'intéresse pas aux miracles.

Après tout, c'est pour cela que son grand-père, la seule personne sur laquelle il ait jamais compté, se saigne aux quatre veines, pour cela qu'il fait des études.

Pour cela et en cela qu'il place toute sa foi : soigner.

À l'époque, c'est tout ce en quoi le jeune Docteur croit, et il y croit dur comme fer.

Le fou !

Le temps était passé, sa femme était morte, ses mains avaient perdu leur magie et, désormais, avant de partir travailler, c'était comme s'il ouvrait un placard et saisissait une peau sur un cintre. Il enfilait une jambe, deux jambes, le bassin puis le ventre. Un bras, l'autre. Debout devant un miroir, il refermait la fermeture éclair et se composait une mine avenante. Le masque faisait parfaitement illusion : jusqu'à ce jour, personne n'avait imaginé les coutures et les doublures de son déguisement.

Le pacte

D'un rapide mouvement de la tête, le Docteur chassa l'unique souvenir qu'il avait de son père – un homme à l'air surpris, portant un pyjama blanc, allongé sur un lit d'hôpital – et se concentra sur le moment présent.

Les pneus de la voiture accrochaient la neige, la renvoyant sous forme de glace pilée loin derrière eux. Malgré son insistance, le Docteur était resté intransigeant : la vieille dame l'amènerait à l'hôpital. Celle-ci avait cédé, mais à la seule condition qu'ils « papotent durant le trajet ». Trajet qui n'était pas de tout repos d'ailleurs, car elle conduisait brusquement et comme pressée par le temps, ce qui détonnait avec la douceur indéfinissable qui émanait d'elle.

Ils s'apprêtaient à quitter le périphérique quand elle se trompa de direction et lui jura qu'ils prendraient la prochaine sortie pour y faire demi-tour.

— Vous gagnez du temps, dit-il pour bien lui montrer qu'il n'était dupe de rien.

— Bla-bla-bla, répondit-elle.

La prochaine sortie était loin, mais le Docteur ne protesta pas : n'avait-il pas envie, au fond, de se faire balader par la vieille ?

Plus tard, quand la silhouette massive de l'hôpital se profila à l'horizon, il sentit la nervosité de son chauffeur monter d'un cran. Elle remit ses doigts dans le cendrier.

— Teddy Bear… hésita-t-elle, il me vient comme une… extravagance… une idée tarabiscotée… Vous n'avez plus rien à perdre, c'est exact ?

— Plus rien.

Elle ralentit et le scruta, féroce.

— Je veux trente jours.

— Pardon ?

— Je veux que vous m'accordiez trente journées de répit avant de mourir.

— Mais… pourquoi ? balbutia-t-il.

— Pourquoi trente ? J'imagine que j'aime les chiffres ronds.

— Non : en quel honneur vous offrirais-je ces trente jours ?

— Ah ! Ça… Vous l'avez dit vous-même : vous n'avez plus rien à perdre.

— Je ne vous dois rien.

— Mais je ne vous prends rien, au contraire ! Ces jours, je vous les donne. C'est un cadeau : joyeux Noël, mon p'tit !

— Qu'est-ce que ma mort peut bien vous faire ?

Il avait parlé d'un ton sec et cassant. Il ne croyait pas au cadeau. Elle ne se démonta pas et leva deux doigts.

— D'abord, vous m'avez l'air d'être un chic type. Ensuite, imaginez que je meure demain. J'aimerais faire une bonne action avant de monter au ciel. Dieu, le Paradis, l'Enfer, bla-bla-bla. Quand on devient vieille, on aimerait avoir été une meilleure personne et avoir sauvé plus de bébés phoques. Laissez-moi un petit mois pour vous faire changer d'avis.

— Vous faites partie d'une secte, c'est ça, hein ?

Cette accusation la prit tellement au dépourvu qu'elle ne put s'empêcher d'étouffer un rire.

Le contrôle de la situation lui échappait, et il détestait ça.

— Répondez à ma question ou je m'en vais : en quoi ma mort vous concerne-t-elle ?

Mamie-Robe-de-soirée le fixa, soudain très solennelle, des larmes au coin des yeux. « Un vrai crève-cœur, cette vieille en train de pleurer », pensa le Docteur.

Elle renifla et désigna l'homme noir, sur la photo :

— À cause de lui : un jour, il est parti et pouf, disparu ! Un suicide… Je me sens responsable. Je l'aimais profondément et il s'est perdu. Il n'y a ni malice ni intérêt malsain de ma part, je pense simplement pouvoir vous aider. Quoi ? Je devinerais la mort des gens sans jamais pouvoir les sauver ? Quel don inutile !

Il l'observa sangloter comme on se noie, en hoquetant, par petites saccades, mesurant ses effets d'un regard oblique.

— S'il vous plaît, implora-t-elle, trente jours, pas un de plus ! Après, vous ferez ce que bon vous semblera, mais j'aurai essayé de vous sauver.

— Je crois que je vais vomir.

— Parce que je suis vieille et moche ? essaya-t-elle de plaisanter derrière ses larmes.

Ça n'eut pas le mérite de le faire réagir ni de le rendre moins nauséeux. Elle essuya un peu de mascara qui avait coulé et tenta une approche différente.

— Croyez-vous au destin, Teddy Bear ?

— Je crois au hasard...

— ... dit l'homme qui tombe sur le seul taxi au monde prêt à lui proposer un marché aussi insolite, jura-t-elle en levant les mains au ciel. Saint Christophe ! Vous me trouvez opportuniste ? Laissez-moi être votre meilleure opportunité !

Il écoutait sa voix, mais évitait absolument son regard : cette femme aurait vendu des souliers vernis à un cul-de-jatte et des moufles à des manchots.

— Si ça ne suffit pas à vous convaincre, laissons faire le sort : donnez-moi trois plats ; si je devine celui que vous préférez parmi les trois, j'ai gagné et vous m'accompagnez. Dans le cas contraire, vous vous tuez autant de fois que vous voulez. Voilà : tuez-vous cent fois ! Mais, ce matin, avouez que vous ne perdrez rien à tenter l'aventure !

— Vous êtes folle.

Elle se caressa la tempe en riant.

— Cette affirmation n'est vraie que pour trois des quatre personnalités qui occupent mon crâne. La quatrième se demande si les pingouins ont des genoux. Allez, insista-t-elle, dites oui ! Trente jours, vous, moi, la vie, les tartes au potiron, ce sera formidable...

Ça lui fit l'effet d'un uppercut.

— C… comment savez-vous pour les tartes au potiron ?

Elle lui adressa un clin d'œil et tira la langue.

— J'avais plusieurs tantes très douées, expliqua-t-elle, toutes avaient un talent unique et sont mortes. La cinquième, Rachel, sentait tellement bon que nous l'appelions « Rachel numéro 5 ». Elle m'a enseigné le secret infaillible pour réussir la mayonnaise en toutes circonstances, même indisposée. C'est elle qui m'a dit un jour : « Un don, s'il n'est pas partagé puis transmis, est aussi irritant qu'un petit pois sous le matelas d'une princesse. »

— Je ne crois pas aux imposteurs, se moqua-t-il.

— Vous vous trompez, monsieur le Docteur-qui-voulait-mourir, dit-elle d'un ton aigre, en réaction à sa moquerie. Mes tantes étaient des magiciennes, pas des charlatans. D'ailleurs, il y avait une diseuse de bonne aventure dans mon quartier, elle usait de cartes, d'encens et tout le tralala, je suis allée la voir et, à peine arrivée, je lui ai envoyé une gifle en lui disant : « Alors cocotte ? Tu ne l'as pas vue venir, celle-là ? »

Elle alluma une nouvelle cigarette et gara la voiture devant la porte d'entrée de l'hôpital, tous feux allumés, prête à appuyer sur l'accélérateur. La vieille dame agita ses bracelets-montres. Dehors le vent se leva.

— Alors, ce plat, il vient ?

Impatiente de montrer ce dont elle était capable, elle avait retroussé les longues manches bleues de sa robe.

Avisant une tache de peinture sur son pantalon noir, le Docteur la gratta du bout de l'index pour grappiller quelques secondes de réflexion. Tous les ressorts de son esprit se tendaient : garder son calme, faire semblant de rien, conserver la même expression d'indifférence. N'avait-elle pas raison ? Que risquait-il ? Que peut-on perdre de plus que la vie quand on a perdu tout le reste ? L'âme ? Il ne croyait pas au Diable, et cette vieille dame n'avait rien d'un Méphisto. Par la fenêtre, il vit des fumées s'échapper des usines comme des peluches blanches et dodues. Il eut soudain la sensation d'un brusque changement dans l'atmosphère, d'un allégement dans la pesanteur grise du ciel. Il vint à bout de la tache de peinture. Oui, vraiment, cela pourrait presque être une belle journée d'hiver.

Il prit sa décision et lâcha du bout des lèvres :

— C'est ridicule, madame. Je meurs et vous me demandez de vous laisser choisir entre la salade de thon et les lasagnes !

— La salade de thon ? Pouah ! Personne n'aime la salade de thon. Et oubliez l'Italie, votre plat préféré est… le steak tartare ! hurla-t-elle avec une jouissance qui aurait ému quelqu'un de moins apathique.

Stupéfait qu'elle ne tombât pas dans le piège, il s'agita sur son siège. La vérité était qu'il avait pensé clore définitivement cette discussion absurde et que la vieille dame venait de lui clouer le bec une nouvelle fois et de façon magistrale. Il était médecin, il détestait ne pas avoir le dernier mot.

— Mais je n'ai pas dit… Comment…

— Vous l'avez pensé, cela suffit. J'ai vu, là et là (elle désigna les trois grains de beauté de son visage), de jolies câpres nichées au creux d'une viande écarlate et hachée. Vous aviez un steak tartare roulant sous la peau. Excellent pour les rides, la viande crue, s'enflamma-t-elle, excellent ! Vous devriez penser au steak tartare plus souvent, votre visage vient de paraître dix ans plus jeune.

— Il y a un truc, avouez-le.

— Vous êtes chirurgien ! Comment pourriez-vous préférer autre chose que de la viande ? (Elle profita de la légèreté du moment pour revenir à la charge.) L'affaire est entendue ? Après tout, si le hasard ne vous sauve pas, qui le fera ?

— Je ne veux pas être sauvé, je veux vous payer, sortir de cette voiture et ne plus jamais vous revoir, voilà ce que je veux.

— Et moi, j'ai envie d'un lynx comme animal de compagnie ! Dans la vie, on n'a pas toujours ce qu'on veut, mon petit.

Alors qu'il attrapait la poignée, elle jeta son bras squelettique pour lui barrer la sortie :

— La meilleure amie que j'aie jamais eue disait toujours : « Dans la vie, quand on vous tend une main, on la saisit sans poser de question. »

Si elle n'avait pas fait ce geste en prononçant cette phrase, nul doute que le Docteur serait parti sans regarder en arrière. De tous les arguments, coups bas et raisonnements qu'elle aurait pu développer, cette simple « main tendue » fut le plus décisif : elle le cueillit en pleine chute libre et il se sentit ferré.

— Cinq jours, pas un de plus, lâcha-t-il.

— Être sauvé ou ne pas être sauvé ? Manifestement, ce matin, quelqu'un a décidé pour vous. Donnez-m'en vingt : si vous acceptez, je vous révélerai le sens de la vie.

On est faible quand on est triste, et le Docteur-qui-aimait-sa-femme se sentait immensément faible.

— Je vous en laisse six.

— J'en prends neuf. Neuf minuscules, ridicules petits jours, tellement courts qu'ils passeront comme six.

— Sept. C'est mon dernier mot. Une semaine, et après je me tue.

— Vous êtes dur en affaires, mon p'tit. Vous venez de me voler vingt-trois jours et vous n'avez pas idée combien j'y tenais.

Elle tendit sa main droite.

— Marché conclu ?

Il hésita.

— Marché conclu ? répéta-t-elle en agitant son poignet d'un geste franc et sans appel.

Il capitula.

— Marché conclu.

Il lui trouva une poigne étonnante : douce et ferme, le genre de paume chaude et rare qu'on aimerait pouvoir emporter dans ses poches et étreindre, de temps en temps, pour se rassurer. Il commença par se présenter et, quand ce fut son tour, elle dit qu'elle s'appelait « Lady Sarah Madeline Titiana Elizabeth Van Kokelicöte », que c'était un nom comme un autre, qu'elle l'aimait malgré tout plus qu'un autre et que, s'il voulait, il pouvait l'appeler simplement « Sarah » ou bien « la vieille ».

— Mes amis me surnomment ainsi.

— Vous devriez changer d'amis.

— Ne dites pas de mal des gens que j'aime, ils me ressemblent.

Ils s'observèrent en silence. Il venait de se passer quelque chose d'important dans cette voiture, mais quoi ?

— Mettons-nous bien d'accord sur les termes du contrat : j'exige votre parole que vous ne vous tuerez pas avant vendredi soir prochain et que pendant sept jours vous coopérerez sans condition, même si je vous oblige à réaliser des choses insensées en apparence, même si vous ne saisissez pas le grand dessein que je suis en train de former en ce moment même dans ma tête. Tout aura un sens. Sachez enfin que je déborde d'imagination et que je suis impitoyable, incorruptible et (elle haussa les épaules en manière d'excuse) incontinente. Où ai-je rangé ce foutu canif ? Me faut un peu de sang pour signer au bas du contrat. Ah, te voilà !

Devant la mine déconfite du Docteur, elle rit et sortit deux petits bonbons qu'elle avala directement, sans boire.

— Je me moque de vous ! Je vous devine honnête, vous respecterez votre part du marché.

— Je tiens toujours mes promesses, fit l'homme sidéré de la vitesse avec laquelle cette femme venait de débouler dans sa vie et d'en changer les plans.

Il regarda par la fenêtre et ressentit tout à coup une peur panique à l'idée d'être seul.

— Allez zou ! fit-elle. Au travail ! Partez mettre vos papiers en ordre. Nous nous voyons demain à huit heures vingt-six minutes trente et une secondes précises.

— On ne fait rien ce matin ? Vous râlez parce que je ne vous concède que sept jours, mais vous vous laissez amputer d'un jour entier !

— Je ne peux pas : j'ai cours de peinture sur licorne (elle réfléchit, un doigt posé sur les lèvres) ou d'aquaponey, je ne sais plus. Ensuite, je dois préparer notre matinée de demain. Je vous récupère à l'aube, je vous relâche aux alentours de seize heures. J'ai promis à mes enfants d'aller avec eux assister à une comédie musicale pour sourds et malentendants. J'honore toujours mes engagements. Tou-jours ! Comme vous. Encore un point commun. Décidément... (Elle le regarda avec une certaine tendresse.) Je sens que c'est le début d'une grande histoire d'amitié. À défaut d'être longue.

Le Docteur pensa à voix haute :

— Qu'est-ce que je vais faire le reste du temps ?

Il avait dit cela comme il aurait dit : « La solitude ne fait jamais semblant, et il n'y a rien d'intéressant à la télévision ce soir. » C'était assez charmant, ce désespoir teinté de pragmatisme.

— Vous réfléchirez sur la vie, la mort, votre métier, répondit-elle. Vous écrirez votre lettre d'adieu. Que sais-je encore ? Débrouillez-vous, Mark.

— Je ne m'appelle pas Mark.

— Je vous re-baptise Théodore Arthur Mark. Ou tout simplement Mark. Cela vous va bien. J'aime beaucoup. C'est très important d'être seul de temps en temps, ça permet de se regarder soi-même et d'aller à sa rencontre. (Elle ajouta avec un clin d'œil :) Savoir qui est Mark.

— C'est absurde…

— Comme la vie.

— Vous croyez que la vie est absurde ?

— Je suis vieille : je ne crois plus, je suis sûre.

Elle se frotta les mains.

— Je sens qu'on va bien s'amuser tous les deux.

— Et que fera-t-on ?

— C'est une surprise. Comment espérez-vous que je gagne notre petite aventure si je vous prive à l'avance de tout effet de surprise ? L'inconnu n'est-il pas le sel de la vie ?

— J'ai perdu le goût de vivre.

— Parfait, absolument par-fait ! Nous avons une semaine pour le retrouver.

L'homme baissa la tête : en son for intérieur, un maelström d'émotions se combattaient, son esprit était traversé de tronçons de phrases, comme des « ho ! ha ! », puis « non », « tu crois ? », puis « oui » et enfin : « Tu as fait le bon choix, c'est ce que ta femme aurait voulu. » Ce qui se passait dans la conscience du Docteur à cet instant précis ? Une mise aux enchères de sentiments contradictoires.

— Ne prenez pas de petit déjeuner demain matin, continua-t-elle. Je viens d'avoir une idée. C'est formidable, vous allez a-do-rer. Et habillez-vous léger, aussi. Un survêtement suffira.

— Il neige dehors, madame.

— N'ayez crainte, vous n'aurez pas froid, Mark.

— Mais je ne m'appelle pas Mark !

Elle rit.

— Peut-être que je ne m'appelle pas vraiment Sarah, non plus. (Et, montant une main vers son visage :) Ne vous êtes-vous jamais demandé, quand on dit que la chance vous sourit, à quoi pouvait ressembler ce sourire ?

Elle effleura ses vieilles lèvres qui annonçaient des fossettes, des rides, un cœur capable de joies sans bornes et d'autant de pleurs. Très pénible, donc, quand on a beaucoup de vague à l'âme. Le Docteur pensa que c'était peut-être cela, le vrai sourire de la chance : une vieille en robe de soirée en train de détacher une photo et d'y déposer pudiquement un baiser.

— Vous n'imaginez pas... dit-elle après avoir embrassé l'homme noir sur le cliché, c'est comme si vous m'offriez un moyen de me racheter.

Il s'ancra dans le réel pour ne pas perdre pied : elle lui parlait de mort et de néant, il lui parla d'argent et de rentabilité.

— Le matin avec moi, avec votre famille l'après-midi, mais quand travaillerez-vous ?

— Et la nuit ? Que faites-vous de la nuit ? Pourquoi dormir quand on a toute la mort pour se reposer, mon p'tit !

Il s'inclina, impatient de prendre congé.

— À demain, donc.

— À demain, Teddy Bear, huit heures vingt-six minutes trente et une secondes précises… n'oubliez pas votre promesse ! Sept jours, dit-elle en levant huit doigts.

— Sept jours, répéta-t-il en n'en levant que sept.

Elle souffla bruyamment de déception.

— Mais pas un de moins, ajouta-t-il comme pour la rassurer, ce qui était idiot, car il n'avait absolument pas l'envie ni le devoir de rassurer qui que ce soit.

— Promis ?

— Juré.

— Craché ?

— Craché.

— Vrai de vrai ?

— J'en fais le serment sur ce que j'ai de plus cher.

— Ah… Et qu'avez-vous de plus cher ?

— Absolument plus rien du tout ! dit-il en s'en allant.

C'est ainsi que le Docteur qui ne se rappelait plus comment soigner rencontra la vieille Sarah : sous un figuier.

C'était sept jours avant sa mort, sept jours avant son enterrement.

SIX JOURS AVANT L'ENTERREMENT

La chevelure magique

« Elle est là ! » s'étonna-t-il en l'apercevant le deuxième matin. Durant la nuit, il s'était convaincu que la vieille était une originale qui changerait d'avis et le laisserait tranquille. Il en était même arrivé à la conclusion qu'elle ne viendrait pas au rendez-vous et qu'il pourrait donc se tuer ce soir, sans attendre un seul jour de plus. Mais non. Lady Sarah Madeline Titiana Elizabeth Van Kokelicöte était là, bel et bien là, à huit heures vingt-six minutes trente et une secondes précises, le dos appuyé contre la portière du taxi.

Les yeux fermés, ses paupières étaient agitées de petites convulsions rapides, tandis que son pied jouait avec de petits blocs de neige. C'était un spectacle étrange, et le Docteur hésita à se révéler : la regarder comme ça était comme admirer un vieux tableau dans un musée sans avoir payé l'entrée.

Un détail attira son attention : Sarah n'avait pas un cheveu blanc, mais une masse épaisse et très noire, en désaccord avec son âge, qu'elle enroula autour du cou, en manière d'écharpe de satin brillante.

« Je ne l'avais pas remarqué hier », se dit le Docteur sans être surpris outre mesure, car il avait décidé d'accepter les impondérables et les étrangetés de cette vie avant de la quitter, ce qui – il en était persuadé – arriverait bientôt, quoi que la vieille puisse inventer.

Sortant un flacon d'une poche de son manteau, Sarah se versa dans les paumes une généreuse rasade de ce qui ressemblait à une épice et se frotta les mains l'une contre l'autre, énergiquement, pour faire pénétrer chaque minuscule grain dans les plis de ses rides. « Que tu sens bon, mon amour, que tu sens merveilleusement bon », murmura-t-elle satisfaite.

— Quel narcissisme ! dit le Docteur en s'approchant.

Il s'était appliqué à parler très fort. Pour marquer son arrivée.

— Teddy Bear, cria-t-elle en remballant le flacon dans une poche, j'avais peur que vous ne veniez pas !

Elle avait un sourire éclatant aux lèvres.

— Je ne suis pas « tout à fait » en retard.

— Alors c'est que je suis « tout à fait » impatiente !

Il se glissa à l'avant du taxi pendant qu'elle finissait de fumer.

— Ça vous dirait d'aller voir un bon film ?

C'était sans réplique possible, mais il tenta quand même sa chance.

— Aucun cinéma n'est ouvert à cette heure-là.

— Vous ne connaissez pas les bonnes adresses…

Elle expédia sa cigarette dans une rigole et fourra les mains dans l'épaisse fourrure de son manteau. En zibeline blanche, le vêtement entrouvert laissait voir une robe rouge serrée à la taille.

Elle se mordit la lèvre supérieure.

— Croyez-moi, vous allez a-do-rer.

Le Docteur apprit plus tard que cette femme aimait aussi prêter des romans policiers dont elle avait arraché les dernières pages ou substituer à des tubes de dentifrice neufs d'autres qu'elle avait minutieusement remplis de cirage.

« Une fois, j'ai mis de la farine dans le sèche-cheveux de ma fille ! »

Il aurait dû se méfier.

Elle enclencha la première, et ils partirent dans un rugissement de moteur neuf jusqu'au seul « cinéma » de la ville ouvert à cette heure-ci – en réalité, une petite clinique où le Docteur passa deux longues heures avec une aiguille fichée dans le bras « pour pallier le manque cruel de sang nécessaire aux malades, mon p'tit ! ». Il se laissa faire docilement, car cela faisait des semaines qu'il n'opérait plus et qu'il se sentait inutile. « Si son sang pouvait servir à sauver des vies ! » pensa-t-il. Pour faire passer le temps pendant qu'un tube recueillait ses plaquettes, on leur proposa de regarder un vieux film.

C'était *La vie est belle* de Capra. Ce n'était pas son idée, mais Sarah avait été catégorique : « Je veux le revoir… j'avais vingt ans, la dernière fois… Je veux. »

Cette vieille sardine insista aussi pour lui tenir la main pendant que l'infirmière posait son cathéter.

— C'est inutile, je suis un grand garçon, je n'ai pas peur du sang, ironisa-t-il.

— Vous peut-être, mais moi oui ! Si quelqu'un se tranchait les veines devant nous, je fermerais les yeux et j'attendrais que ça sèche. Allez, silence, le film commence !

Les ronronnements réguliers de la machine à laquelle il était relié, les nuits sans sommeil… la fatigue lui tomba dessus et il s'endormit rapidement.

Un pincement le réveilla en sursaut : le film était fini depuis longtemps, et la vieille Sarah le veillait. Mais, lassée d'attendre, elle venait de lui pincer violemment le bras.

— Vous n'aimez pas le cinéma ? Moi, je me suis ré-ga-lée ! J'avais détesté ce film la première fois, mais en le revoyant aujourd'hui… Comme je faisais erreur, saint Christophe, il est *merveilleux* ! (Son visage parut trente ans de moins, et pourtant trente fois plus triste aussi.) Comment vous sentez-vous ?…

— Affamé.

Le Docteur avait perdu tout appétit depuis le départ de sa femme, mais ce matin-là… quelle surprise inattendue de le sentir de nouveau, et si fort ! Il aurait pu avaler un bœuf entier. Et du miel. Il avait une envie subite de miel, de pistaches grillées et de tarte au potiron.

— Votre déjeuner attendra, lui opposa la vieille Sarah en avançant qu'ils avaient rendez-vous à onze heures quarante-trois minutes et vingt et une secondes exactement, et qu'ils étaient déjà en retard.

— Où allons-nous ? lui demanda-t-il froidement.

— Grand boulevard des Silencieux. Prenez ça, dit-elle en lui mettant dans les mains une petite feuille froissée.

Elle avait profité de son sommeil pour emprunter au secrétariat un formulaire de dons d'organes :

— Si je perds la partie et que vous mourez, les vôtres serviront à sauver des malades…

Il allait objecter quelque chose, mais elle l'interrompit net :

— Bla-bla-bla, la pénurie terrible qui frappe actuellement les hôpitaux reste très problématique… Vous savez déjà tout ça !

Il mit de la colère dans son regard, elle battit des cils.

— Est-ce que je prends plaisir à vous sortir de cette mauvaise passe ? Oui ! (Et lui tendant un stylo :) Signez, qu'on n'en parle plus.

— Je veux un petit quelque chose à grignoter, une collation, un biscuit, n'importe quoi.

— Plus tard peut-être, ou plus jamais, j'hésite…

— Un carré de sucre, au moins, insista-t-il.

— « Bla-bla-bla, s'il vous plaît, j'ai si faim, je suis si triste… » Pas de collation, je vous dis !

Il râla, elle s'esclaffa, il parapha le formulaire.

Le Docteur comprit alors que la partie n'était pas encore jouée : il avait passé un pacte avec une femme vraiment redoutable.

Le chevalier Charles

Revenue dans la voiture, Sarah attira son attention vers le pare-soleil et la photo de l'homme noir en train de sourire.

— La solution contre le racisme, c'est le panda, affirma-t-elle sans aucune transition. Imaginez les hommes transformés en panda... Nous serions tous gros, noirs, blancs et asiatiques. Imparable.

Il hésita à sourire; cette idée lui apparut très sensée. Finalement, il souleva sa lèvre, mais cela sonnait faux, alors il la laissa retomber en se promettant de réessayer demain.

— J'étais très jeune quand il est mort, dit-elle. Il s'appelait Charles, j'étais anéantie.

Attraper la photo et la détailler de près ne fit que confirmer l'impression du Docteur : ce type resplendissait de bonheur. Ça l'agaça. Il reposa la photo et guetta le prochain embouteillage. Il voulait sortir prendre l'air.

— Cet homme est mort et le soleil a continué de se lever ?

Il avait parlé très froidement, parce qu'il avait subitement eu envie de la blesser. Elle ouvrit la bouche, il ne la laissa pas parler.

— Vous l'aimiez, il est mort. La belle affaire ! Ses tantes ne savaient pas ressusciter les morts ?

Le visage de la vieille était d'un blanc d'ivoire. Elle ne répondit pas, et le Docteur s'en irrita : pour une fois, il aurait vraiment souhaité qu'elle soit bavarde.

— Alors, Sarah, où était-il, votre coup de baguette magique ? insista-t-il. J'attends !

Elle le regarda, desserra les mâchoires :

— Teddy Bear ?

— Oui.

— Vous attendez une réponse ?

— Oui, ça devient long.

— Croyez-vous que…

— Croyez-vous que quoi ? fit-il en rogne.

Elle éclata de rire.

— Croyez-vous qu'il faille s'armer de patience pour tuer le temps ?

Elle démarra la voiture et désigna la route qui s'étendait jusqu'à l'horizon.

— Allez zou, mon p'tit ! La vie a un sens, il faut aller de l'avant !

L'épreuve du champ des os

Elle gara son taxi devant le plus grand cimetière de la ville.

— Bienvenue au Grand boulevard des Silencieux, le quartier le moins bruyant de la ville ! dit-elle, guillerette, en rabattant la portière à l'aide d'un rapide et précis coup de talon vers l'arrière.

Puis elle lui fit signe de se hâter : le gardien avait beau être un de ses amis, il garderait le cimetière fermé deux petites heures et pas une minute de plus.

— Personne ne nous verra, personne ne nous dérangera. Et personne ne vous entendra crier…

Il enfonça son tee-shirt dans son pantalon pour se protéger tant bien que mal du froid.

— Voyez-vous le petit cabanon, là-bas ? Ne le trouvez-vous pas coquet, Teddy Bear ? Moi, je le trouve coquet. Je vais aller y boire un chocolat chaud et me faire lire de la poésie moldave par Popovitch, le fossoyeur. Ensuite, je réfléchirai à cette question posée par ma fille : « La lune continue-t-elle d'exister quand je ne la regarde pas ? » Ce sera formidable.

— Et moi ?

— Vous courrez. L'idée m'est venue hier en regardant les traces dans la neige : faites le tour une dizaine de fois.

— Mais c'est immense ! protesta-t-il.

— Alors ce sera une immense course.

— Mais c'est un cimetière !

— Vous avez remarqué aussi ? Je me disais bien que toutes ces tombes n'étaient pas là par hasard…

De la bile lui remonta brusquement dans la bouche, il ressentit comme une colère immense et la pointa d'un doigt accusateur.

— Je n'ai pas mangé, je viens de donner mon sang, je suis frigorifié et vous, vous voudriez me voir trotter ?

— Si je peux achever la bête plus tôt…

Dépité, il envoya un coup de pied dans un tas de neige et poussa un cri de douleur : il y avait un énorme caillou aux angles saillants dissimulé sous les flocons.

— Pourquoi voulez-vous que je coure ?

— Parce que moi, la vieille Sarah, j'estime que cela est bon pour vous. Je n'ai pas à vous vanter la qualité de mes jugements : partez du principe qu'ils sont toujours bons et tout se passera bien entre nous. (Elle referma son étui à cigarettes d'un claquement sec.) Je ne marchanderai pas, j'ai trop froid. De plus, tante Rosa me souffle à l'oreille que vous aimiez la course à pied, avant de vous empâter.

— De m'« empâter » ? dit-il en sortant la pierre de sous la neige pour la mettre bien en évidence, au cas où un autre ahuri aurait l'envie de taper au hasard dans la poudreuse. Vous me trouvez gros ?

— Disons que si la Troisième Guerre mondiale éclatait demain, vous survivriez plus longtemps que les autres.

Il baissa la tête. Inexplicablement, elle l'avait meurtri. Elle sembla s'en émouvoir et ajouta maladroitement :

— Teddy Bear, en vous voyant, je pense à Einstein : la masse est une énergie que divise la vitesse de la lumière au carré. Donc rien n'est perdu si vous courez vite !

Sans lui laisser le temps de contester, elle s'éclipsa en chantonnant vers le cabanon du gardien. Celui-ci l'attendait sur le côté, une pelle plate à la main, la mine lugubre et impénétrable, comme ses tombes.

Le Docteur se mit à courir, un peu pour obéir à Sarah, un peu parce qu'il avait peur de cet homme. Il avait froid aussi. Force était de constater que tante Rosa avait raison : autrefois, il adorait la course. Le premier pas fut le plus difficile, comme à l'époque. C'est grâce au deuxième qu'il put continuer, parce qu'il y eut cet instant où ses deux pieds furent au-dessus du sol. L'un montait, l'autre descendait. Il vola un peu. L'apesanteur le décida à poursuivre.

À la fin du premier tour, quand il revint à hauteur de l'entrée, la vieille Sarah lui envoya un baiser d'un grand geste de la main.

Le souffle de l'homme se fit de plus en plus court et difficile, les dates et les noms sur les tombes valsaient dans sa tête : il y avait des enfants, des vieillards, des familles entières. À chaque pas, sa bouche produisait de longs panaches de vapeur : son thorax s'était transformé en usine à fabriquer des nuages.

Étonnement et vague stupeur de sa part : c'était la première fois qu'il pensait à son corps depuis des mois et il en conçut une envie brutale et irrépressible de fumer.

Au troisième tour, il eut droit à deux nouveaux baisers de la vieille, le premier envoyé de la main gauche, le deuxième de la main droite.

Il la gratifia d'un bref salut de la tête, auquel elle répondit en faisant semblant de porter un toast avec sa tasse, puis en agitant le bout incandescent de sa cigarette.

— Plus vite, mon gros, plus vite !

Et, comme on pousse un cri de guerre, de hurler trois fois :

— Turducken ! Turducken ! Turducken[1] !

Chaque inspiration valait au Docteur une brûlure et lui arrachait un gémissement. Dans son dos coulait tant de sueur froide qu'un banc de saumons entier aurait pu remonter le long de sa colonne jusqu'à son cou. « Une pneumonie, elle veut me faire crever d'une pneumonie ! »

Il imagina le goût du chocolat chaud après dix tours. Il élabora mentalement sa texture fondante, et son amertume le ravissait : il serait parfait, ab-so-lument parfait. Ce serait un authentique chocolat chaud,

---

1. Spécialité américaine servie durant les fêtes de fin d'année et consistant en une dinde fourrée par un canard lui-même fourré par un poulet.

avec tout ce qu'on peut en attendre lorsqu'on a très faim et que la Mort frappe à votre porte.

C'est à cet instant que se produisit « l'Événement » : le Docteur prit subitement conscience d'une petite chose anodine et ridicule à laquelle il n'avait jamais prêté la moindre attention, même du temps où il était heureux avec sa femme.

Il était vivant.

Ses côtes se soulevaient et retombaient à toute vitesse, sa peau se tendait, il haletait, ses oreilles étaient glacées, il avait mal aux pieds, il avait faim, il suait, il était malheureux, il avait soif d'un alcool bien fort qui lui tordrait les tripes, il était constipé depuis quatre jours, il sentait mauvais, il voulait mourir, il avait la nausée et surtout, surtout, il avait terriblement envie d'une cigarette.

« J'existe ! »

Il était un homme vivant qui courait.

Ah ! Comme il aurait voulu hurler sa rage d'être en vie et d'y être malheureux ! Pousser une clameur primaire et revendicatrice d'un destin qui lui appartenait, et dont il croyait disposer à sa guise ! Il n'en fit rien : il avait peur. On ne crie pas dans un cimetière, même en hiver, même s'il est vide.

Notre seule liberté est de dire aux morts que oui, vraiment, le sentiment d'exister ne devrait jamais devenir une habitude.

Le Docteur continua donc de courir.

Un souvenir de fumée

Sa meilleure cigarette, il la fume à l'âge de vingt-quatre ans. C'est un 12 février, en fin de journée. Il s'apprête à quitter le service de pneumologie du plus grand hôpital de la ville quand l'infirmier l'arrête dans le couloir pour lui demander s'il sait rouler du tabac.

— Ben oui ! répond-il.

— Alors va chambre 6, s'il te plaît.

Ce qu'il fait. Un homme, M. Forge, est sur un lit, le teint jaune et l'air très mal en point.

— Le tabac est dans la poche droite, dit le malade au jeune médecin. Mais c'est pas le tabac que je veux. C'est ce qu'il y a dans la poche arrière. Oui, c'est ça, que je veux.

Un petit sac contient trois ridicules barrettes de cannabis.

Le jeune Docteur, comme dans les bandes dessinées, voit une grande bulle blanche s'ouvrir dans sa tête : « Aaaaah… »

Premier cas de conscience : que faire ?

Le patient :

— Et fais-en un suffisamment grand pour qu'on le partage, gamin. J'y tiens absolument. Ensuite, emmène-moi sur le toit et nous le fumerons ensemble.

Une deuxième bulle s'ouvre dans sa tête : « Ahhhhh... »

Double cas de conscience. Le médecin aime fumer, mais pas du cannabis. Il ne trouve pas cela professionnel et, à l'époque, il a encore une haute opinion de son métier.

— Tu sais, gamin, je vais bientôt crever, et toi, dans cent ans, tu seras aussi mort que moi, dit le patient en le voyant hésiter.

Plus tard, quand sa femme tombe enceinte, le Docteur arrête de fumer sans trop de difficulté. Il ne se rappelle plus les quelques minutes partagées avec M. Forge sur le toit de l'hôpital à admirer le soleil se coucher, mais une tendresse et une nostalgie ineffables surgissent dans son cœur chaque fois que quelqu'un fume près de lui. De lointaines odeurs d'herbe coupée viennent exciter sa mémoire, et il sourit, sans savoir pourquoi.

La tombe du chevalier noir

Il terminait son sixième tour quand son regard s'accrocha à la fine silhouette de Sarah. Perdue dans un épais brouillard, elle nettoyait à quatre pattes une sépulture posée derrière un arbre. Il avait décidé de rester loin d'elle pour se reposer de sa voix, de ses emportements, de ses lubies, pour se reposer de toutes ces bizarreries de caractère, se reposer de Sarah, de Madeline ET d'Elizabeth Titiana Van Kokelicöte. Finalement, l'envie de fumer l'emporta. Il dévia sa course et se rapprocha.

— J'astiquais la pierre, mon p'tit, et je me demandais : quand on s'ennuie de soi-même, croyez-vous qu'il soit possible d'aller voir ailleurs si on y est sans se perdre en chemin ?

Le Docteur craignit qu'elle lui demande si c'était ça, son problème : il s'ennuierait lui-même et il aurait décidé d'aller voir ailleurs s'il y était. Là-haut, en bas, paradis, enfer, peu importe, ailleurs.

Il désigna la tombe.

— Qui c'est ?

— L'ami dont je vous ai parlé, dit-elle en tapotant le marbre avec tendresse, mon vieux Charles…

Elle se releva péniblement.

— Pourquoi avez-vous arrêté de courir, mon p'tit ?

— Je voudrais une clope, dit-il d'un ton rude.

Elle lui tendit paquet et briquet, sans discussion. Le Docteur inspira une première bouffée, toussa, y revint. C'était délicieux. De son côté, Sarah mima l'allonge de sa course et haleta comme un chien qui se noie.

— J'aime votre style, Teddy Bear. Balourd, mais persévérant.

— J'ai l'habitude de la course à pied. J'ai même fait le marathon, une fois.

— Tout le monde peut courir un marathon.

— Mais tout le monde ne parvient pas à le finir.

— Combien aviez-vous terminé ?

— Je n'ai pas réussi à aller jusqu'au bout, dit-il en mimant un sourire.

Il exhala une longue bouffée de fumée et la lui envoya en plein visage, moitié par provocation, moitié par tendresse. L'espace d'un instant, il lui souffla dessus comme on peut dire « Je t'aime » à quelqu'un qui nous fait beaucoup de mal et il en fut lui-même très surpris.

Elle soupesa son biceps et s'y suspendit de sa petite main d'oiseau.

— Soulevez-moi.

— Comme ça ? dit-il en l'éloignant du sol sur quelques centimètres.

Elle cria de plaisir.

— Il n'y a rien de plus beau que de voir un jeune homme en survêtement courir sous la neige ! Sauf, peut-être, un jeune homme tout nu… Qu'en pensez-vous ?

— Ne comptez pas sur moi, dit-il en poussant un minuscule éclat de rire. (« Il faut bien donner l'impression d'être heureux de temps en temps », pensa-t-il.)

— Tant pis, j'aurai tenté ma chance, fit-elle, allègre, en se laissant retomber. Allez, terminez ce tour et nous partirons.

— J'ai besoin d'une douche.

Elle le repoussa sur le sentier.

— Ouste, j'ai une tombe à entretenir !

Le Docteur donna à Sarah la cigarette entamée, puis il s'éloigna à petites foulées, et le brouillard glacé avala sa silhouette.

Il s'étonna de vouloir prendre une douche. Il n'en prenait plus que par absolue nécessité, quand son odeur l'incommodait trop.

Se lever et tenir debout était devenu trop difficile.

L'épreuve du gouffre terrible

Avant de quitter les lieux, la vieille Sarah le tira par le col vers un carré de terre fraîchement creusé.

— Que voyez-vous ?

— Une tombe.

— Mais encore ?

Son haussement d'épaules eut valeur d'agacement.

— Et quoi ? C'est juste une tombe vide ! Un trou dans la neige qui attend son m…

Elle lui souriait, les deux mains jointes devant la bouche, mi-interrogative, mi-excitée.

— Vous vous moquez de moi ?

— Saint Christophe ! gloussa-t-elle. Qu'il est lent à comprendre ! Mon cher, je vous présente votre prochaine destination.

Elle se tourna vers le sol, s'inclina.

— Madame la Terre, voici votre prochain locataire, Mark, alias Teddy Bear, pour les intimes. Il est un peu grassouillet, mais je le mets au sport et à la diète. Son enterrement aura peut-être lieu dans six jours, il sera chez vous comme l'épée dans son fourreau, n'ayez crainte.

Puis, revenant vers le Docteur :

— Popovitch a creusé toute la nuit. J'ai réservé la concession, tout est payé, ce vide est à vous pour le reste de votre mort.

Elle ramassa une poignée de boue durcie, l'agita sous son nez. Il eut un mouvement de dégoût et fit deux pas en arrière. Il était affamé, faible et frigorifié.

— N'ayez pas peur, mon p'tit, touchez-la, flairez-la, faites connaissance. J'ai fait acheter de gros lombrics roses et gras qui ne feront qu'une bouchée de vous. À la fin de l'hiver, je viendrai planter des fraises dans votre terreau. Puis, au printemps, ma fille cuisinera une grande tarte. Nous vous appellerons la « Strawberry Teddy Pie », et nous vous mangerons avec de la chantilly, des noix de pécan et des paillettes de chocolat.

Le Docteur regarda la boue glacée dans la main de la vieille dame, puis baissa le regard vers le sol. « C'était donc là, se dit-il, dans ce trou ? Là qu'on couchera ce qui restera de moi dans quelques jours ? Seul dans la terre froide ? »

Sarah claqua des mains et cria :

— Popovitch !

Le fossoyeur surgit aussitôt de nulle part.

Le Docteur pensa : « Mon Dieu, il s'appelle vraiment Popovitch. Voilà pourquoi il ne sourit pas. »

Monsieur Je-me-déride-une-fois-par-an déposa servilement à leurs pieds un seau fermé d'un couvercle, avant de repartir comme il était venu, clopin-clopant, agitant sa truelle pour marquer sa mauvaise humeur.

Le Docteur regarda fixement le récipient et l'imagina rempli d'une faune grouillante et visqueuse, faite d'affreux bruits de succion et d'enlacements charnus.

Sarah donna un coup de pied dedans, envoyant le contenu se répandre dans le trou, puis elle explosa d'un rire clair.

Le seau était vide.

— Vous y avez cru, hein ?

— Espèce de vieille folle ! dit-il en portant l'index de sa main droite à la bouche pour se ronger un ongle, ce qu'il faisait quand il était en proie au stress ou à une nervosité trop grande.

Il essaya de se souvenir de ses cours de biologie : combien de temps met un corps à se décomposer ? Il ne le savait plus, il avait tout oublié.

La vieille se colla contre lui, il eut un nouveau mouvement de recul, elle se colla encore plus. Il eut l'envie brutale de la jeter dans le trou, elle tout entière, mais aussi ce qu'elle avait fait naître en lui et qui ressemblait à une minuscule et ridicule pulsion de vie violente et instinctive.

— Quel froid ! dit-elle. Prenez-moi dans vos bras ou je crie au viol.

Il ne bougea pas, elle hurla :

— Popovitch ! Au secours ! À l'aide ! Au sec…

— Ça va, ça va ! la coupa-t-il en l'enveloppant largement.

Il sentait la transpiration sale et en avait un peu honte.

— Une seconde de plus et Popovitchou vous assassinait à coups de pelle. Ça ferait vilain sur ma zibeline.

Puis elle joua du pied avec un mégot, le fit rouler jusqu'au bord du trou et l'y envoya d'une pichenette.

— Mon petit ?

— Oui, Sarah.

— Imaginez que vous vous trouviez devant Dieu, quelle question lui poseriez-vous ?

— J'imagine que je lui demanderais qui a vraiment tué Kennedy et pourquoi il nous sépare des gens que nous aimons.

Silence.

« Dieu ne m'aime pas, pensa-t-il. De toute manière, Dieu n'aime personne. »

— Et vous, Sarah ?

Elle se pelotonna davantage au creux de son aisselle, indifférente à son odeur.

— Je lui demanderais où disparaissent les chaussettes dans la machine à laver. Comment il a réussi à se faire passer pour un homme aussi longtemps, alors que je sais bien, moi, que c'est une femme. Je la remercierais pour avoir inventé les biceps des Italiens, les cuisses des Allemands et le chou romanesco, qui sont les plus éclatantes démonstrations de son savoir-faire. Le romanesco… soupira-t-elle. Ensuite, je me moquerais d'Elle à cause de la taupe à nez étoilé, un animal très laid que les scientifiques appellent *Condylura cristata*, et qu'Elle a complètement ratée. Elle rira aussi parce qu'Elle a le sens de l'humour… regardez les politiciens. Ensuite, je…

Le Docteur n'écoutait Sarah que distraitement. Elle sentait bon et lui tenait chaud autant qu'il lui tenait chaud, il n'en demandait pas plus. La promesse qu'il avait faite hier n'y faisait rien : il était ici, obéissant servilement à cette vieille, parce que c'était ça ou la mort et que, même s'il s'en défendait, une partie de lui se méfiait du néant, de l'oblitération qu'il promettait et que seuls l'alcool et les médicaments avaient offerts jusqu'à présent. Ses yeux sondaient la terre avec une fixité stupéfaite.

— La mort vous effraie ? demanda-t-elle finalement.

— La mort, non, mais ce trou.

— Comme vous avez raison, conclut-elle d'un ton sec avant de s'arracher soudainement à l'homme et d'attaquer d'un bon pas la petite côte qui menait à la voiture.

Il n'osa pas lui dire qu'il n'avait pas eu droit à son chocolat chaud.

L'arme fabuleuse

Les mains de Sarah étaient belles, comme elle, et vieilles, comme elle aussi. Chaque ongle était verni, d'une couleur framboise écrasée, déposée en microscopiques gouttes de sang épais. Sur ses lèvres fines en coup de canif, le même carmin que sur ses ongles. La peau de son visage accusait au moins dix mille ans de rides et ça tranquillisait beaucoup le Docteur : pour un vieux qui vous bouleverse, il y en a neuf inoffensifs, et le médecin avait classé Sarah dans cette seconde catégorie. Les jours qui suivraient allaient bien sûr lui donner mille fois tort.

— Comment vous tuerez-vous ? l'interrogea-t-elle lorsqu'elle s'installa au volant.

Il lui répondit avec un mélange surprenant de détachement et de provocation gratuite :

— J'ai des couteaux, du gaz, une corde, des ampoules d'insuline, une batte de base-ball…

À vrai dire, il y réfléchissait constamment, à la mort, et depuis des mois. Alors elle était devenue comme un petit animal sauvage qu'on promène avec soi dans une petite cage. Elle ne le gênait pas tant qu'il n'y glissait pas un doigt, comme tout à l'heure, avec ce trou dans la terre. Il s'était senti mordu au sang rien qu'en le regardant.

— Vous n'envisagez pas de mettre fin à vos jours en vous cognant jusqu'à ce que mort s'ensuive ? dit-elle en levant les bras au ciel. Pourquoi pas manger des yaourts périmés, tant qu'on y est ! Non, non, non, il vous faut quelque chose de plus radical. Une arme à feu peut-être ?

Le regard de l'homme s'échappa distraitement par la fenêtre.

— J'ai un pistolet. Un Luger P.B.

— P.B. ?

— *Para bellum*. Ça veut dire…

— Je connais mon latin, coupa-t-elle. Quelle idée bizarre de préciser d'une arme qu'elle est faite « pour préparer la guerre » ! Imaginez qu'il ait été inscrit « pour casser des noix » ? Le sens de l'Histoire en aurait été modifié. (Elle mit l'index et le pouce de sa main droite dans le cendrier et malaxa son contenu avec nervosité.) Fonctionne-t-il ?

— Oui.

— En êtes-vous sûr ? Il doit être très vieux, il faudrait l'essayer…

Le Docteur lui raconta alors comment un soir, en rentrant de l'hôpital, sa femme l'attendait dans le salon. Des bougies, de la musique, un dîner italien dressé sur la table. Elle souriait bizarrement et cachait quelque chose derrière son dos. Quand elle le lui avait tendu, il avait hésité : elle l'avait trop bien emballé. « Eh bien !

Tu n'ouvres pas ton cadeau ? » lui avait-elle lancé. C'était le Luger restauré par un armurier, dans une petite boîte rouge avec deux chargeurs pleins de munitions. Un cadeau magnifique, et vraiment surprenant : sa femme avait toujours eu les armes à feu en horreur.

— Vous avez l'air d'y attacher une grande importance, observa Sarah.

— Il m'a été légué par mon grand-père. Ce n'est pas une arme anodine, elle est spéciale...

La vieille dame passa du cendrier au volant, fit disparaître le bout noirci de ses doigts et prit un air intéressé.

— Laissez tomber, nous n'avons pas le temps.

— Trop tard, je suis curieuse.

— C'est une histoire triste et belle, joyeuse et grave, tout à la fois. Votre vieux cœur ne tiendra pas le coup.

— J'ai des origines soviétiques : je suis blindée.

Le Docteur décida d'exciter davantage la curiosité de la vieille dame.

— Mon grand-père me prenait sur ses genoux et, de sa voix d'horloge rouillée, il disait : « Tu vois cette arme, gamin ? Elle est magique et n'a jamais tué personne, elle en a même sauvé plusieurs dizaines. » Et moi, gamin, je réclamais « La-fabuleuse-histoire-du-pistolet-qui-n'avait-jamais-tué-personne ». Vous êtes vraiment sûre de vouloir la connaître ? (Il adopta un ton mystérieux.) Il n'est pas encore trop tard...

— Dites-moi !

— Non, vraiment, je le vois bien, vous n'êtes pas prête, se ravisa-t-il en tirant grand plaisir de sa mine déconfite.

— Votre grand-père vous a transmis l'art de ménager ses effets, à ce que j'entends. Ou de torturer son auditoire, je ne sais pas…

— C'était quelqu'un d'illustre, un homme haut en couleur. Il était apiculteur, les gens venaient chez lui pour voir la manière extraordinaire qu'avaient les abeilles d'user de son énorme barbe comme d'une ruche.

— C'est vrai ?

— Non. J'ai dit la première chose qui m'est passée par la tête. Je crois que j'essaie de faire comme vous, avec vos tantes, j'invente.

À son sourire, on voyait bien qu'il n'était pas mécontent du résultat. Sarah tapa du poing sur le tableau de bord.

— Saint Christophe, assez tortillé, l'histoire !

— Je ne vous la raconterai pas. Moi seul la connais et, quand je mourrai, elle disparaîtra avec moi.

— Pourquoi me faites-vous ça ?

Il se tourna vers elle et se fendit d'un ricanement sec.

— Parce qu'à cause de vous j'ai faim et j'ai mal aux cuisses. Tout se paie dans la vie, je prends un acompte.

Il avait surtout pris un plaisir coupable à débouter la vieille dame et c'était là une donnée neuve : il pouvait encore trouver du plaisir, même dans un acte inoffensif et minuscule de méchanceté gratuite. Oui, même là.

Elle se renfonça dans son siège, désappointée, puis sortit une nouvelle cigarette.

— Vous fumez trop, c'est mauvais pour la santé, lui asséna-t-il en s'enfonçant dans le siège passager et en pointant du doigt la cage thoracique de la vieille dame.

Ton professoral, mine docte : il avait parlé en tant qu'expert.

— En ce moment, mon petit, je fume trop, je bois trop, je mange et ris trop. En fait, je vis trop.

— « Mon petit » ?

— Vous avez l'âge d'être mon fils… dit-elle en agitant son briquet sous son nez. Lui, il me regarde et me rassure : « C'est bien, maman, fume, bois, fais-toi plaisir. »

Elle se remit du parfum et, automatiquement, le Docteur repensa à son épouse. Il posa le menton sur la paume de sa main, le regard lointain.

— À quoi réfléchissez-vous ? demanda-t-elle.

— Ça finira mal, cette histoire-là…

— Quelle histoire ?

— Vous et moi.

— Oh… Mark… Quel gâchis ce serait si je perdais notre pari ! Vous êtes mignon comme un calisson dans la main d'un Somalien. Le monde a besoin de gens beaux, ils sont les petits cailloux qu'il faut suivre la nuit dans la forêt pour retrouver le chemin de la grande Maison où il n'y a ni misère, ni malheur, ni souffrance…

— Bla-bla-bla, fit-il en l'imitant. Taisez-vous donc un peu, et ouvrez les yeux : votre charpente prend l'eau, elle est bâtie sous le niveau de la mer ! L'homme est mauvais, il se régale à faire le mal comme aucune autre créature. Et quand, dans un éclair de lucidité, il prend conscience de sa nature, il dit que ce n'est pas sa faute et accuse un dieu. Il ne faut pas être très intelligent pour comprendre ça.

La cigarette de Sarah se mit à pendre de sa bouche telle une herbe molle. Le Docteur était allé trop loin et il s'en rendit compte.

— Sarah… je…

Parking. Frein à main. Instant de flottement, coup d'œil timide à sa montre jaune, coup d'œil timide à sa montre bleue, puis :

— Suivez-moi, Teddy Bear, dit-elle comme si de rien n'était, nous sommes à l'heure, ni trop tard ni trop tôt, à l'heure !

Les changements d'attitude permanents de la vieille dame donnaient au Docteur l'impression d'essayer d'attraper une anguille à mains nues. Il en prit son parti et entra dans le restaurant en claudiquant : des élancements douloureux couraient déjà le long de ses cuisses. À croire que son corps n'attendait que ça, se réveiller et souffrir.

L'établissement, très sophistiqué, ne comptait qu'une dizaine de clients, tous l'air ravi et très riches. Avec son vieux survêtement sur le dos, le Docteur se sentit tout de suite mal à l'aise.

Sarah commenta l'agencement des tables, la couleur des fleurs, le bleu des rideaux, etc., comme si elle venait d'acquérir les lieux. Elle l'énervait, mais il ne disait rien, car il s'en voulait d'avoir haussé le ton dans la voiture. Son désespoir ne lui donnait pas le droit de secouer l'espérance et la joie de vivre des autres. Il se promit de faire attention. Après tout, c'était une vieille dame, pas un prunier.

Un serveur les accueillit, doucereux, avec une voix de fausset. Il attrapa deux menus à la couverture doublée de cuir et les leur tendit.

Sarah se racla la gorge en le voyant faire.

— Nous n'aurons besoin que d'un seul couvert.

— Madame ne mange pas ?

Elle porta la main à son ventre.

— Manquerait plus que ça, bien sûr que je déjeune !

Elle prit le Docteur totalement au dépourvu.

— Cet homme est malade ; une forme rare d'*ileus paralyticus* hydrogéné. Nous avons consulté, et la spécialiste a recommandé quelques jours de régime strict.

Il roula de gros yeux et sa voix s'alourdit, menaçante :

— Ne jouez pas avec mon estomac, Sarah, je vous préviens…

— Allons, Teddy Bear ! Si la chrono-homéo-gastro-acupuncto-diététicienne vous met à la diète, c'est pour votre bien.

— Parfois, les spécialistes se trompent. Parfois aussi, elles vieillissent et deviennent séniles, siffla-t-il entre les dents.

Les yeux du garçon couraient du visage de Sarah à celui du Docteur.

— Pas celle-ci, dit Mamie-Robe-de-soirée, tout sourire. Si elle dit diète, c'est diète. Pensez-vous que mettre les gens au régime l'amuse ? Non, mais elle le fait parce qu'elle est professionnelle. Elle vous sauve la vie.

— Combien de couverts, s'il vous plaît ? demanda à nouveau le serveur avec une pointe d'agacement.

— Un seul, ordonna Sarah.

Le Docteur avait plus faim que le premier homme qui découvrit que les escargots ou les huîtres étaient comestibles, alors il résista :

— Mettez-en deux.

— Un seul !

Le serveur dansait d'un pied sur l'autre. Sarah se hissa sur la pointe des siens, lui murmura quelque chose à l'oreille. Il blêmit instantanément.

— Un couvert pour Madame, rien pour Monsieur, parfaitement, tout de suite, comme vous le souhaitez, je vous présente toutes mes excuses… bafouilla-t-il avant de tourner les talons et de filer.

— Vous lui avez dit quoi ?

— Que la patronne de cet établissement a un sale caractère et qu'elle le virerait sur-le-champ s'il vous servait.

— Et il vous a crue ?!

— J'avais un solide argument.

— Lequel ?

Elle éclata de rire.

— Je suis la patronne de cet établissement.

— Je ne vous crois pas.

— Quelle importance, puisque lui me croit !

Elle gagna le fond de la salle, le laissant sur le carreau. Il la suivit et s'écroula de tout son poids sur le siège en face du sien, pendant qu'elle retirait son manteau.

— Mais je vous en prie, asseyez-vous, lui concéda-t-elle sévèrement.

Pour un peu, il se serait senti coupable de ne pas lui avoir demandé la permission.

— À quoi jouez-vous cette fois, Sarah ?

— Vivre, c'est manger, et les défunts ne se nourrissent pas.

— Je ne suis pas encore mort.

— Quel plaisir de vous l'entendre dire !

Elle se servit à boire en ignorant le verre du Docteur.

— J'ai une nouvelle question pour vous : si les papillons de nuit adorent tant la lumière, pourquoi ne vivent-ils pas le jour ?

— J'ai faim.

— Restez vivant. Dégustez ce que bon vous semble durant le restant de votre vie.

Il la vit soudain se tordre en deux, porter sa main contre son ventre et, avec une férocité non dissimulée, elle lança :

— Parler avec vous me donne des crampes. L'appétit, sans aucun doute…

Trop, c'est trop. Excédé, il lui jeta sa serviette au visage.

— J'ai perdu la raison en acceptant de vous suivre, c'était une mauvaise idée. (Il repoussa son fauteuil.) Je m'en vais. Vous êtes sadique, je suis fou, mauvais ménage. D'ailleurs, je ne vous aime pas.

— Saint Christophe, voilà que ça le reprend !

— Assez, madame, j'étais faible, parce que je suis triste, vous étiez forte, parce que vous êtes rusée.

— Assis !

— Non… plus d'ordre, plus de morale, c'est fini.

Il quitta la table avec violence et se dirigea à grands pas vers la sortie.

Sarah se redressa et cria :

— Nous avons un contrat, jeune homme ! (Sa voix sonna très haut, les gens levèrent la tête de leur assiette.) Vous m'avez serré la main !

Il s'immobilisa, fit demi-tour et regagna leur table la tête basse, s'asseyant sur le bout de sa chaise, prêt à repartir au moindre mot de travers.

— Comment vous faites ?

Il avait agité son index de façon menaçante en disant ça.

— Comment je fais quoi ?

— De toutes les raisons qui pourraient me lier à vous, cette histoire de mains tendues est la plus forte, comment faites-vous pour deviner ? dit-il avant d'avaler une gorgée d'eau pour se donner une contenance.

— Tante numéro 3, Isabella. Elle aurait fait parler un muet. Maintenant, asseyez-vous. Vous déjeunerez, c'est entendu. D'ailleurs, vous le ferez avec le plaisir incommensurable d'avoir cru un instant que ce repas vous échapperait.

Il allait prendre un menu quand elle le lui arracha des mains et le glissa sous ses fesses.

— Vous ne m'avez pas répondu de manière claire : le pistolet fonctionne-t-il ? L'avez-vous déjà essayé ?

— Jamais. Du jour où elle est partie, je n'y ai plus touché. Il est posé dans ma bibliothèque, en attendant de… vous voyez ce que je veux dire…

— Je voudrais que vous le preniez demain, avec les balles. C'est important.

Il se pencha vers elle et planta son regard dans le sien. Il se sentait en position de force.

— Très bien, mais je veux une contrepartie. Un apéritif fort, une entrée, un plat, un verre de vin et un dessert. Je veux la totale, même le café et le petit biscuit avec. Et le bonbon de l'addition. Et le digestif. Surtout lui, d'ailleurs.

— Soit ! Marché conclu. (Elle remit un peu de cannelle sur ses gants, les renifla et parut satisfaite.) Apportez-moi demain cette arme étonnante, et je vous promets de moins vous torturer qu'aujourd'hui. Et ne prenez plus cet air résigné. J'ai l'impression de vous envoyer à l'échafaud, alors que je fais tout pour vous sauver.

— En m'affamant ?

— En vous amenant à prendre conscience des petits riens qui comptent beaucoup : manger quand on a faim, boire quand on a soif, se reposer quand on a sommeil…

— Vous savez qu'il existe en Inde une religion qui estime le suicide acceptable à la seule condition que la mort soit procurée par inanition ?

Sarah fit non de la tête.

— Le prétendant au suicide se laisse mourir de faim, poursuivit-il. Ils considèrent que c'est un moyen suffisamment lent et douloureux pour éprouver profondément la motivation du postulant.

— Pourquoi me dites-vous cela, Teddy Bear ?

Il afficha une moue un peu dégoûtée.

— Je me disais que vous pourriez me couper une jambe, pour que je prenne conscience du bonheur de marcher sur mes deux pieds… Ou mieux ! Faites-moi boire quatre pintes de bière, ligaturez-moi l'urètre, puis interdisez-moi d'uriner !

Sarah ne se démonta pas.

— Ma fille m'a lu une étude hollandaise qui démontrait qu'on réfléchit mieux et prend de meilleures décisions la vessie pleine.

— Je n'aurais pas dû vider la mienne hier matin avant de grimper dans votre taxi.

Elle héla le serveur.

— Mais je n'ai pas encore choisi ! protesta-t-il.

— Inutile, je me suis renseignée avant de venir...

Elle se pencha par-dessus la table et lâcha avec l'excitation du chasseur qui voit son piège se refermer :

— Mon p'tit Mark, il paraîtrait qu'on prépare ici la meilleure tarte au potiron et le meilleur steak tartare de toute la ville.

Un souvenir de repas

Le meilleur repas du Docteur ? Ce n'est pas lui qui le mangea…

Vingt ans plus tôt. Un vendredi soir aux Urgences. Le jeune Docteur entre dans le box 6 et découvre un jeune homme de dix-sept ans, M. Chaudron, la peau couleur caramel-beurre salé, qui se présente à cause de « maux de tête brutaux ». Le jeune médecin n'aime pas ce motif : trop vaste, et potentiellement grave.

Le gamin a eu un malaise pendant l'entraînement de natation. L'examen, l'interrogatoire, le scanner, tout est normal. Le jeune Docteur retourne dans la chambre et lui annonce la bonne nouvelle. Profitant d'un moment d'accalmie dans les couloirs, le jeune médecin prend une chaise et demande au gosse de tout lui raconter de nouveau.

Bonne idée, la chaise, oui, bonne idée… Le récit est long et pas très gai : le gamin sort d'un test de natation pour intégrer l'armée, il n'a pas mangé depuis plus de quarante-huit heures, est dépourvu d'aides financières et a dû choisir entre se chauffer et se nourrir. Il a froid, il a faim. Il a choisi.

Le jeune Docteur se lève, débouche son stylo, puise dans toute la science accumulée par dix ans d'études scientifiques compliquées et inscrit en majuscules rouges sur la feuille de soins : « GROS REPAS ».

Le gamin ressuscite sous ses yeux à coups de plateaux-repas, de compote de pomme et de biscottes sans sel.

Incontestablement, la plus simple et la plus belle prescription de sa vie.

Le roi blessé

Ce fut grâce à la vieille que le Docteur rencontra pour la première fois l'homme qui vivait sous le figuier rouge. Elle le ramenait chez lui quand elle désigna une guérite au pied de l'arbre.

— À qui est cette drôle de petite maison, Teddy Bear ?

— Quelle maison ?

Elle sortit de la voiture et marcha droit vers un clochard, petit, taillé en barrique, la face cramoisie et pelée. Il vivait dans une cabane en carton.

Le Docteur sursauta : il l'avait déjà vu très souvent, mais comme on voit un banc public ou une fontaine. Il ne l'avait jamais regardé : ni son manteau tout élimé aux manches sous lequel il avait glissé une couverture pour se protéger du froid, ni sa jambe droite qui pendait sur le côté, estropiée. Et l'homme était beau, d'une beauté usée, très lasse, abîmée par le temps. On pouvait voir des navires et des quais dans son regard. Le clochard avait été marin dans une autre vie. Son prénom était Régis, mais il préférait quand on l'appelait « le Roi » ou plus simplement « le Pêcheur ».

Quand le Docteur les rejoignit, Sarah était en train de s'extasier devant l'étrangeté du figuier, et l'homme lui répondait que les habitants du quartier le croyaient mort l'hiver dernier, mais qu'il avait produit tant de fruits qu'on en avait fait des kilos de confiture pour les orphelins de Notre-Dame. L'été et l'automne étaient passés, les gamins en mangeaient encore, et l'arbre continuait de donner.

— Je ne l'explique pas, personne ne le peut, conclut Régis avant de voir le Docteur et de le héler : Une pièce, m'sieur ? Pour un ancien matelot ?

Le pêcheur avait parlé d'une voix de châtelain tuberculeux, et le Docteur tâta le fond de ses poches à la recherche d'un peu de monnaie.

— Je n'ai que ça, s'excusa-t-il en lui donnant quelques pièces et en rougissant tant cette phrase sonnait faux.

— Merci pour le Roi, lança l'autre en recevant la pièce. C'est pas de l'or, mais c'est mieux que du vent !

Le Roi leur jura que sa vie était belle, avant, qu'il avait « tout ce dont un homme pouvait rêver », puis sa femme était morte et il s'était laissé aller…

Le Docteur sentit comme une botte écraser son torse à cet instant précis. Il détourna le regard un instant pour cacher son trouble.

— Mes enfants m'attendent, s'excusa Sarah quelques instants plus tard en les saluant tous les deux, j'ai été honorée de vous rencontrer, monsieur Régis le Pêcheur.

Le Docteur la vit se tourner vers lui et le serrer contre elle encore une fois. « À demain et soyez sage », dit-elle, ce qu'il traduisit par : « Vous me devez encore cinq jours avant de vous faire sauter le caisson et je vous poursuivrai jusqu'en enfer si vous ne tenez pas votre promesse, mon p'tit. »

Elle partit et il se retrouva seul avec cet étrange reflet de lui-même, cet homme au bord de notre monde et qui n'opposait au froid qu'une mince couche de carton et des fonds de mauvais whisky. Il se demanda comment c'était possible, de survivre ainsi. Aussi, quand le taxi disparut à l'angle de la rue, le Docteur voulut savoir depuis quand le Roi vivait dans la rue.

— Sept ans. Ou deux semaines. Peut-être bien un jour, je ne sais plus, mais je n'ai plus rien, ça, je le sais. En attendant de crever, je ferme les yeux, et tout ce que je vois m'appartient. Il y a même un château et je suis roi. Voilà, mon gars !

Le Docteur lui mentit, parce qu'il ne sut pas quoi dire d'autre :

— Un jour, tout s'arrangera pour vous… mais si, mais si, j'en suis sûr, vous verrez…

Les gens faisaient souvent ça pour rassurer les autres, alors le Docteur fit pareil. Régis lui demanda son prénom. Il répondit Mark sans savoir pourquoi. Ils se serrèrent la main et discutèrent une bonne heure, devisant sur la météo, les gens pressés, l'utilité des bons d'achat gratuits, le bonheur, les mensonges de la vie et la sincérité de la mort.

Revenu chez lui, le médecin déboucha une bouteille de scotch et se rongea les ongles. Un à un, doigt après doigt, ils y passèrent tous. Quand il arracha le dernier, il regarda fixement le mur blanc de la chambre pendant des heures : la bouteille était presque vide, et il ne savait plus quoi faire d'autre. Alors il attrapa la petite boîte rouge, en sortit le pistolet de son grand-père et les deux chargeurs en se disant qu'une seule balle suffirait. Il caressa l'arme, la démonta pour regarder le mécanisme et les engrenages, avant de la remonter en écoutant les cliquetis. « Je suis en train de devenir fou », pensa-t-il en se rendant compte qu'il aimait le grincement de ces charnières quand elles coulissaient entre les doigts. Ensuite, il alla se coucher comme d'habitude, à ceci près que, pour la première fois depuis longtemps, il se demanda ce qui l'attendait le lendemain.

CINQ JOURS AVANT L'ENTERREMENT

La graine magique

Le Docteur avait eu des angoisses toute la nuit. Sortir rejoindre la vieille dame au matin avait été aussi difficile qu'escalader une montagne de boue.

Sarah était attifée en princesse de parc d'attractions. Bustier bleu, serre-tête en argent, robe bouffante, un pan jeté sur le siège passager, un pan sur la banquette arrière. Beau ou ridicule ? Le Docteur ne parvenait pas à trancher, mais c'était lunaire à coup sûr.

La vieille tournait un rouleau de printemps entre les doigts et l'observait avec appréhension.

— Bien sûr qu'il n'est que dix heures du matin, Teddy Bear, mais l'instant est solennel ! Ce que je fais, je le fais pour la première fois, alors j'ai droit à un vœu.

Il ressentit un bref vertige : sa femme faisait la même chose et il n'avait jamais compris pourquoi elle se pliait à cette superstition.

— C'est idiot, mon petit : détester un aliment sans en avoir fait l'expérience. Il m'aurait suffi de goûter une fois, pour voir… Vous, par exemple, aimez-vous les crevettes ? Moi, je sais que je les adore. J'aime aussi la salade, et je raffole des pousses de soja ! Pourtant, le rouleau entier me dégoûte... Allez, santé !

Elle inspira profondément, croqua du bout des lèvres, mâcha, avala, se rejeta en arrière en soupirant de soulagement.

— Dieu merci, ce n'est pas bon ! Imaginez une vieille fille qui découvrirait à la fin de sa vie l'existence de son clitoris et adorerait ça, quelle tragédie !

Le médecin se mit à rire. Son désespoir n'y vit aucune objection, il saisit donc l'occasion. C'était comme ça, les valises de sa femme avaient laissé trop de silence dans sa vie.

— Allons, Sarah... On croirait qu'il est trop tard pour vous. Le condamné dans cette voiture, c'est moi.

— On doit tous mourir un jour, le corrigea-t-elle, voilà pourquoi je travaille la nuit. Quant à mon vœu, je ne le ferai pas : il s'est déjà réalisé. Je vous le révélerai dans quatre jours.

Une pousse de haricot tomba à ses pieds. Comme une petite pilule blanche. Elle la fixa intensément. Il y avait quelque chose dans cette pousse, mais quoi ?

— Sarah ? Vous allez bien ?

— C'est tellement mauvais...

— Rien d'étonnant. Mon grand-père perdait ses chats les uns après les autres, je me suis toujours dit que le restaurant chinois en bas de chez lui n'y était peut-être pas pour rien... (Il lui enleva le rouleau des mains.) Ne le jetez pas : je le finirai plus tard.

— Vous avez raison, mon p'tit, gardez-le pour midi. Je ne sais pas encore ce que je vous réserve !

Le manoir des fantômes qui peignent

Quand Sarah parlait, elle parlait trop. Quand Sarah se taisait, elle se taisait longtemps. Tandis qu'ils roulaient, ils écoutèrent de la musique, et la vieille dame hocha périodiquement la tête, dans une communauté de rythmes qui n'enviait rien à ces petits chiens en plastique posés sur les plages arrière des voitures. Dix bonnes minutes sans rouvrir la bouche, et finalement :

— Les *Nocturnes* de Chopin sont si beaux, imaginez ce qu'ils seraient s'il les avait composés en plein jour.

Son passager ne trouva rien à répondre à la soudaineté de son enthousiasme, aussi se contenta-t-il de laisser son regard vagabonder à travers la fenêtre. Impossible d'échapper à la publicité : manteau, mixeur, bijoux… Tout paraissait libre et facile.

Une affiche pour des chaussures promettait « le bonheur avec un B majuscule ». Le Docteur avait acheté ces chaussures il y a un an ; il en conclut donc que son modèle était tout à fait défectueux.

— Qu'est-ce que c'est merdique ! dit-il à haute voix et d'un ton catégorique.

— Sans doute, mais c'est comme ça, lui répondit-elle.

Savait-elle de quoi il parlait ? Il l'ignorait. Lui aussi, d'ailleurs : de quoi parlait-il exactement ?

Elle coupa le contact sur la rive gauche du fleuve, devant un immeuble désaffecté aux allures de vieil hôtel hanté. Un terrain vague, quelques palissades défoncées, des grues au loin. Le Docteur les crut arrivés dans un de ces endroits qui bordent les grandes villes, où l'on s'ennuie à mourir le jour et où l'on crève de peur la nuit.

— Mon Dieu, que tu es devenu moche ! se lamenta Sarah en détaillant le vieux colosse gris. Et solitaire !

Il vit le pli de sa bouche s'affaisser un peu, son œil paraître lointain, vitreux, puis il l'entendit soupirer trois fois de suite.

Elle eut l'air de mourir un peu.

— Allons, puisqu'il le faut !

Sortant de la voiture, elle marcha droit sur l'entrée, une porte verdâtre, usée par les intempéries, qu'elle poussa en vain.

— Saint Christophe ! pesta-t-elle.

L'homme la suivit dehors. L'air était encore plus frais que la veille ; ça faisait mal aux poumons, mais ça rinçait la tête.

— Comment une « lady » telle que vous peut-elle connaître un bouge pareil ?

Il se moquait de la réponse et n'avait posé la question que pour paraître aimable. Il avait juste envie de s'asseoir quelque part, puis de mourir – ou quelque chose de très réel dans ce genre-là.

— C'était l'un des plus majestueux hôtels particuliers de la ville. Des peintres vivaient ici.

Elle farfouilla dans son sac, sortit un trousseau de clefs, puis se tourna vers le Docteur.

— Et ce « bouge » est à moi, fit-elle, faussement vexée, en ouvrant la porte. Je l'ai racheté dans cet état, j'ai refusé d'y toucher.

Mensonge ? Vérité ? « Sans importance », pensa le Docteur en posant un pied dans le hall d'entrée, il s'appliquerait cinq jours durant à faire semblant de vivre pour qu'on lui fiche la paix.

S'acclimatant à la pénombre, il découvrit les lieux : ça sentait le plâtre moisi, un interminable escalier en colimaçon avec main courante en fer forgé se perdait dans l'obscurité, puis c'était le vide, mais traversé de craquements et de bruissements d'ailes quand une corneille venait à s'aventurer entre deux colonnes. Au centre se tenait un petit muret constitué de parpaings de ciment. Sarah l'avait emmené dans des ruines.

— Demi-tour, dit-elle en revenant sur ses pas. Ce dont nous avons besoin est dans le coffre de la voiture !

Là, plusieurs citrouilles rebondies se serraient les unes contre les autres.

— J'en ai toujours dans mon coffre, en cas de panne de voiture ! Ça fait d'excellents carrosses de secours, dit-elle en agitant sa cigarette comme une baguette magique. Nous les poserons sur le petit muret là-bas, puis nous jouerons aux « cowboys et aux citrouilles » ! C'est comme jouer aux « cowboys et aux Indiens », mais à la place des…

— Oui, oui, j'ai compris, allez ! s'agaça-t-il.

Ils les disposèrent côte à côte, puis elle tournoya sur elle-même, seule au milieu de l'immense pièce, comme les derviches d'Orient, ne quittant pas des yeux le toit et la charpente.

— J'ai décidé de transformer l'endroit en musée ! (Son souffle se fit court, sa voix hachée.) Ici… se tient… le futur… plus… grand musée… d'art moderne… du pays. Ou une usine à bonbons… Je ne sais pas… Venez, ça va être incroyable !

Un souvenir d'enfance

L'enfance du Docteur… Il passe les neuf premières années de sa vie entouré de médecins. Malformation cardiaque. Une bien méchante. À l'hôpital, il a son grand-père à son chevet, une petite chambre et, surtout, il a la télévision.

Entre deux examens, l'enfant se régale des aventures des super-héros en collants, ceux qui volent et mettent les méchants en prison.

Une petite boîte est branchée sous le moniteur et il faut y insérer quelques sous. La pièce déclenche un mécanisme de balance qui fait contact et on en a pour deux ou trois heures de dessins animés. L'enfant les regarde en slip, le drap de son lit noué autour du cou pour former une longue cape. Les péripéties que traverse le héros, la proximité du danger et le triomphe du bien contre le mal… Son imagination s'enflamme.

Chaque semaine, Mister Honey, le technicien, passe relever l'argent. Il s'assoit à côté de lui en silence et regarde les dessins animés. Il apporte chaque fois une nouvelle douceur : fudge au potiron, cookies au potiron, cheese-cake au potiron, muffins au potiron… Tout est rond, orange et sucré avec lui. Comme sa figure bonhomme et son gros ventre sur lequel il assène de grandes claques en riant très fort.

Ensuite, il vide le collecteur et redonne au jeune Docteur toute sa monnaie en posant un doigt sur sa bouche. C'est leur secret.

Un matin, il lui apprend même à déclencher la minuterie avec un fil et une pièce.

— Plus tard je ferai comme toi, dit l'enfant malade.

— Essaie plutôt de faire comme eux, répond Honey en montrant deux chirurgiens qui passent dans le couloir.

Cet homme rendra le gamin très heureux pendant sa maladie. L'enfant aime bien les techniciens. Longtemps, quand on lui demandera ce qu'il veut faire quand il sera grand, il répondra avec une force de conviction étonnante chez un gosse de cet âge : « Je serai technicien le jour et chirurgien pour les enfants la nuit. »

Il le sait déjà à huit ans : il soignera les gamins.

Ensuite, le Docteur grandira et gardera cette idée fixe. Entré en médecine, il fait ses classes brillamment et tout semble lui sourire.

« Finalement, je vais être chirurgien pour les enfants le jour, et chirurgien pour les enfants la nuit. Je vais l'être de la tête aux pieds, et jusqu'au bout des ongles. »

Il se sent immensément heureux.

Il ne sait encore rien de la vie.

L'épreuve des chevaliers doubles

— Le pistolet, intima Sarah.

Le Docteur ouvrit son sac, en sortit délicatement la petite boîte rouge où reposaient l'arme et les balles.

À cet instant, la vieille l'agrippa avec une force insoupçonnée et l'embrassa sur la pommette droite. Il ne sut pas comment réagir : c'était la première fois que sa joue se faisait violenter par une vieille dame.

— Je vous prie solennellement de bien vouloir pardonner ce débordement impromptu et inexplicable, dit-elle très gênée en rajustant sa mise en plis. C'est venu comme ça, je n'ai rien décidé et j'ai laissé faire.

Il leva les yeux au plafond ; plus rien ne l'étonnait venant d'elle.

Elle sortit l'arme de la boîte, puis observa avec attention les deux chargeurs en hésitant :

— Am-Stram-Gram, ce-sera-toi-qui-jardineras !

Celui de droite sembla lui convenir. Elle le prit, le colla contre sa figure, l'inspecta, le renifla et finalement choisit celui de gauche. Il y avait dedans six balles prêtes à l'emploi, soit le nombre de citrouilles qu'ils venaient de disposer sur le muret.

— Vous ne trouvez pas que c'est une coïncidence étrange ?

— J'ai toujours eu la main heureuse, répondit-elle en se tapotant l'aile droite du nez. Une main heureuse et des tantes fantasques. Regina gagnait sa vie en tricotant des capes d'invisibilité, mais elles ne fonctionnaient que dans le noir. Quant à Sophia, elle prédisait les bons numéros de la loterie, mais seulement deux secondes avant qu'ils sortent. Elles sont mortes très pauvres.

Pendant qu'elle parlait, le Docteur voulut tester la solidité des murs en frappant du pied un morceau de crépi. Un pan entier se détacha en faisant un bruit de tableau qui tombe. De la poussière s'envola dans un rayon de soleil. Le médecin fit trois petits pas en arrière et se cacha les mains dans les poches, l'air de dire : « J'ai fait une bêtise, mais personne n'a rien vu. »

— Sophia était aussi la plus illustre sapomancienne au monde.

— Sapomancienne ?

— En gros, elle percevait des choses sur les gens en examinant leurs pains de savon.

— Et que devinait-elle ?

— S'ils s'étaient lavés, dit-elle en reniflant avant d'éclater de rire. Allez, mon p'tit, canardez ces cucurbitacées, et pas de quartier !

Satisfaite de son bon mot, elle piétina quelques secondes, puis alla chercher une chaise pliante en chantonnant une comptine espagnole.

Les yeux du Docteur s'attardèrent sur les cibles. En tendant son piège, Sarah avait fait preuve d'une malice sans limites : VIE, ENFANCE, JOIE, MÉMOIRE, TRISTESSE, RÉSILIENCE, chaque citrouille portait un nom inscrit au marqueur noir et en majuscules. Il se sentit subitement plus seul qu'il ne l'avait jamais été. Il avait fait un pas de côté, hors de sa vie, et il s'était perdu dans un lieu désenchanté, sans volonté et sans lumière. Aussi, abattre ces cibles provoqua chez lui un sentiment étrange. Il ne ressentit rien, à proprement parler, mais il se souvint que ces mots existaient, ni plus ni moins.

— Le bonheur, ça existe, mon p'tit. Même que des fous arrivent à le trouver !

La vieille fumait, avec flegme. Il ne lui répondit pas, il pensait qu'elle avait tort. Après avoir tiré les cinq premiers coups de feu, il observa la dernière condamnée, détaillant ses courbes rondes et pleines dont les bords saillaient comme des côtes.

— Teddy Bear ! cria Sarah. Pas d'état d'âme ! Il reste encore un accusé.

Il abaissa le bras, laissant le pistolet chargé de son ultime balle pendre le long de sa jambe. Malgré le froid, il avait le cou et les épaules échauffés par l'anxiété et la concentration. La réalité de l'arme dans sa main, le bruit des détonations, l'explosion que produisaient les balles en pénétrant l'écorce du légume comme l'os d'un crâne... Il n'en pouvait plus ; quelque chose de compliqué était sur le point de se résoudre en lui.

— Je crains fort, Sarah, que celui-ci ne soit condamné à vivre.

— Hors de question, Mark. Quand on en tue un, on doit les tuer tous ! (Elle le jaugea par-dessus le bout incandescent de son porte-cigarette.) Je serai intraitable : il reste une balle dans le chargeur, elle lui est destinée, point final.

— C'est marqué dans le *Parfait manuel du petit bourreau agricole* ?

Pour la première fois depuis leur rencontre, et sans pouvoir l'expliquer, il décida de ne pas lui céder.

— Allez-vous la dégommer, cette satanée courge, à la fin ? s'énerva-t-elle. Arrêtez de chipoter !

Il posa l'arme sur les cuisses croisées de la vieille dame.

— Je garde cette dernière balle pour moi. On se retrouve dans la voiture.

Il s'approchait de la sortie quand une détonation retentit. Debout devant le muret, Sarah venait d'abattre la dernière citrouille.

— Quelle purge, je déteste faire le travail moi-même, dit-elle en rejoignant l'escalier monumental.

— Vous avez triché : elle était à moi.

— Bla-bla-bla, mon petit ! J'ai volé votre proie, je vous en dois une, soit. Ne vous inquiétez pas : votre boîte rouge contient un deuxième chargeur plein d'autres balles. Vous en trouverez bien une qui fera l'affaire.

L'épreuve du bois

Il souffla bruyamment quand il vit leur nouvelle destination, ce qui la fit rire.

— Je vous énerve comment, mon p'tit : trop ou seulement beaucoup ?

— Beaucoup trop.

— C'est bon signe : cela signifie que vous commencez à m'aimer.

Personnellement, le Docteur n'y croyait pas du tout. Il avait aimé autrefois. Les infirmières de son enfance, son grand-père et, plus tard, sa femme. C'était fini tout ça, maintenant.

Il trouva l'allure du magasin très froide. Les passants se reflétaient fugitivement dans la vitrine, à l'endroit exact où était exposé un cercueil posé verticalement, tel un mort en bière.

La porte d'entrée s'ouvrit sans faire un bruit : les gonds étaient gorgés d'huile jusqu'à plus soif. Tout était d'un blanc éclatant et le sol, recouvert d'une sorte de tapis très mou, évoquait du dentifrice. Un parfum synthétique de citron s'insinuait dans les narines des visiteurs. Très inquiétant, très désagréable.

Un homme au costume sombre, dont le visage lui rappela vaguement quelqu'un, s'approcha à petits pas raides et saccadés. Le Docteur savait bien que les vendeurs de ces endroits-là n'ont pas vocation à s'habiller en clown, mais il trouva cette scène tellement attendue, tellement cliché... Le vendeur cultivait une vague similitude avec une statue de cire qu'il avait vue, avec son grand-père, dans le train fantôme d'une fête foraine. Il avait douze ans et il n'avait jamais oublié le teint jaune, les yeux tirés, les pommettes osseuses. Quelque chose de sec, lisse et impénétrable.

Nosferatu leur adressa un mouvement de tête, cassant la nuque à droite – « Madame » –, cassant la nuque à gauche – « Monsieur ».

— Salut ! répondit Sarah d'un ton enjoué en affichant un sourire jusqu'aux oreilles. Nous venons pour des obsèques !

— Madame, vous avez frappé à la bonne porte. (Il tapota avec satisfaction un badge épinglé sur son veston : « Meilleur vendeur du mois »). Pour quand l'inhumation est-elle prévue ?

La vieille dame calcula sur ses doigts.

— Trois jours... non, quatre ! C'est cela, n'est-ce pas, Mark ?

Celui-ci fit mine de ne pas avoir entendu. Elle jubilait.

Le croque-mort s'inclina légèrement.

— Un homme ? Une femme ?

— Un homme.

— Appartenez-vous à la famille du défunt ? Un ami ? Un proche ?

Elle se serra contre le médecin – « Proche. Tout proche, même ! » – et le poussa en avant en adoptant l'attitude figée et empruntée d'une vendeuse dans une émission de téléachat.

« Je suis devenu le dernier cuiseur-vapeur trois en un à la mode, se dit-il, une camelote qu'elle essaie de fourguer. »

— Il s'agit de monsieur.

— Je vous prie de bien vouloir accepter toutes mes condoléances, souffla le vendeur.

Le Docteur jeta un œil vers la sortie. Il ressentait une oppression insupportable ; quelque chose lui attrapait le cœur et serrait, serrait et serrait encore.

— Moooonsieur est-il malade ?

Sarah répondit à sa place en l'agrippant plus fort que jamais :

— Mooooonsieur est plus frais qu'un matin de printemps.

Et, sur le ton de la confidence :

— Suicidaire, le caractère tiède, la rupture amoureuse délicate, la fin de vie timide… et des mollets de mouche !

D'un professionnalisme inattaquable, l'employé ne cilla pas et leur désigna le fond du magasin.

— Si vous voulez bien me suivre en salle d'exposition.

Ils pénétrèrent dans une grande pièce flanquée de treize cercueils différents. Après le trou dans la terre, on lui demandait de choisir le coffre à mettre dedans. « Finalement, pensa-t-il en ayant une subite crampe d'estomac, il y a de la cohérence dans la folie de cette vieille. »

— Notre maison propose une très large gamme de produits, allant du pin ordinaire au bois de teck imputrescible. (Il entortilla la pointe de sa moustache entre deux doigts, comme les gens qui s'apprêtent à faire de l'humour.) Une seule exception : nous n'avons pas de cercueil en verre ! Avez-vous arrêté un budget ?

— Pas le temps. La chose est trop précipitée.

— Nous offrons actuellement une très belle promotion sur les bois asiatiques, c'est immanquable ! Qu'en pense mooonsieur ?

Sarah ne le laissa pas ouvrir la bouche et le Docteur se laissa porter par la vague.

— Vous avez raison : il faudrait être fou pour passer à côté ! Mark est d'accord, il se satisfait de tout et vous n'aurez pas de réclamation.

— La maison n'en a jamais, madame. Pour le capitonnage, je vous proposerai de la soie, de l'organza, du coton ou, un grand classique in-dé-mo-da-ble, du velours. Touchez ! Doux, n'est-ce pas ?

Il lui colla le tissu sous le nez. Le Docteur aurait voulu le lui faire manger centimètre carré par centimètre carré. Il se sentait les yeux morts, les pieds lourds, la conscience engourdie, il était trop faible pour lui hurler qu'il se fichait bien de son chiffon, de ses manières et, surtout, qu'il ne s'appelait pas Mark.

— Saint Christophe, va pour le coton ! Monsieur n'aime pas les chichis.

— Pour la couleur, nous avons le rouge carmin, le bleu ciel, le white pearl et, bien évidemment, le blue classic royal. Le vert anglais, aussi, mais c'est particulier. En général, il est très apprécié des chasseurs. Monsieur chasse-t-il ?

Le médecin visualisa très nettement un employé de pompes funèbres, attifé en poule d'eau, passant et repassant dans la lunette d'un fusil.

— Non ! s'insurgea-t-elle. Monsieur est toubib !

— On ne chasse pas en médecine ?

— Seulement des maladies. Des courges, aussi, parfois… Nous prendrons le blue classic royal.

Ils firent quelques pas et il leur indiqua un des modèles d'exposition.

— Voilà à quoi ressemblera votre commande : bois asiatique, capitonnage coton, poignées demi-lune en cuivre pour le portage, cuvette biodégradable assurant une étanchéité totale, et le petit truc en plus qui fait la différence : les cache-vis en laiton !

— Formidable ! s'enthousiasma-t-elle.

— Si monsieur veut bien se donner la peine d'ôter ses chaussures, je vais prendre ses mesures.

Comme il ne bougeait pas d'un pouce, la vieille lui donna un coup de coude.

— Les chaussures, Mark !

L'employé le jaugea de la tête aux pieds. Le médecin ne put s'empêcher de frissonner à son contact et, devenu un vrai bocal d'aigreur, il lui cracha :

— Ça mesure combien, un mort ?

— Un mètre quatre-vingt-cinq ! s'exclama l'autre très premier degré, en inscrivant la donnée sur un bloc-notes tiré de sa poche. Ne vous en faites pas, tout sera prêt à temps.

— Et les épaules ? On ne mesure pas les épaules ? s'enquit Sarah.

— Madame, nos chambres sont toujours assez larges : on y coucherait même la suffisance d'un banc de républicains…

Son visage statufié continuait de le fixer, soupesant le type de mort qu'il ferait, s'il serait bon dans ce rôle-là, s'il ne gâcherait pas sa belle marchandise.

Sarah s'adressa à lui de la plus charmante façon qui soit :

— Pourriez-vous nous laisser seuls, s'il vous plaît, Monsieur ? Mark souhaiterait se recueillir. Merci pour tout, vous avez été parfait.

— Certainement, madame, si vous avez besoin de renseignements supplémentaires, je serai dans la pièce à côté, n'hésitez pas.

Il disparut dans un claquement de talons à la sécheresse toute militaire, le Docteur laissa sa tête retomber. La vie l'épuisait.

L'épreuve de la douleur

— Vous êtes allée trop loin cette fois !

Il protestait haut et fort quand elle s'accouda au cercueil, le teint livide, les lèvres tremblantes, son corps minuscule sur le point de défaillir.

— Je… je… articula-t-elle en blêmissant.

— Sarah ?

Les forces lui manquèrent, il se précipita pour la soutenir.

— Vous allez bien ?

— Je… je…

Elle attrapa deux comprimés dans une de ses poches et les avala directement.

— Mon Dieu ! cria-t-il. Sarah ! Qu'est-ce qui se passe ?

— Je… je…

Les mots se bousculaient dans sa bouche sans sortir.

— Vous quoi ? Dites quelque chose !

Elle releva soudain la tête et rit aux éclats.

— *Je vous ai bien eu, hein !*

Il se laissa tomber sur un siège qui traînait, sans voix. Son désespoir se fit tangible, mais Sarah n'en eut cure. Elle coula un œil entendu vers le cercueil. Il eut un mouvement de recul. Nouveau regard insistant de la vieille, irrésistible.

— Allez, Teddy Bear, allongez-vous !

— Merde !

— Vous d'abord, répondit-elle aimablement. Je ne suis pas là pour sucrer vos gaufres et vous faire chauffer du lait, insista-t-elle. Vous avez promis de m'obéir. Entrez là-dedans et fissa, l'autre gus pourrait revenir d'un moment à l'autre et ne pas goûter l'intérêt de notre expérience, si humble soit-elle. Et estimez-vous heureux : je vous fais grâce d'avoir à choisir la musique.

Disant cela, elle commença à déboutonner son chemisier.

— Qu'est-ce que vous faites ?

— J'utilise une technique ayant déjà fait ses preuves.

— C'est-à-dire ?

— Le chantage : si vous n'entrez pas dans ce cercueil, je crierai au viol, le gentil monsieur de tout à l'heure trouvera une vieille éplorée, les vêtements et la coiffure en vrac, ayant tout l'air d'avoir subi les derniers outrages. Vous irez en prison, où je vous apporterai des oranges. Un moyen comme un autre de vous garder en vie.

Elle le remit à la verticale du monde, lui délivra une claque sur les fesses, tendit de nouveau le menton vers le cercueil en coton bleu royal. Persuadé qu'elle mettrait sa menace à exécution, il fit un pas vers le cercueil, puis s'y glissa servilement, repliant les mains sur le torse à la manière des pharaons antiques. Son grand-père lui avait montré des images dans les livres d'histoire quand il était enfant et, même après tous les cadavres qu'il avait pu voir au cours de sa carrière, il persistait à penser que c'est ainsi qu'on doit avoir l'air mort.

— Vos impressions ?

Il fixa le plafond en essayant de ressentir quelque chose.

— Vous avez échoué, affirma-t-il. Je ne reviendrai pas sur ma décision, je suis toujours aussi vide et indifférent au sort qui m'attend. (Il passa ostensiblement la main sur le coton, adoptant une attitude provocante.) Quelle douceur, Sarah ! Le croque-mort a raison…

— Asseyez-vous, ordonna-t-elle.

Il se redressa.

— Bien. Maintenant, fermez les yeux.

— Comme ça ?

Elle s'approcha à pas de loup et lui asséna sur la joue la plus fantastique claque jamais reçue de sa vie. La douleur lui arracha un cri.

— Vous… vous m'avez giflé !

— Je sais, dit-elle, j'en suis moi-même surprise : c'est la première fois que je frappe un orphelin !

— Mais pourquoi ?!

— Parce que moi, Lady Sarah Madeline Titiana Elizabeth Van Kokelicöte, je vous déposséderai du superflu pour vous ramener à l'essentiel, je vous dépouillerai tel un nourrisson au premier jour de sa venue pour faire de vous un homme nu, puis je vous remettrai au monde. Alors – et alors seulement – je vous autoriserai à prendre une décision.

Elle gagna la porte à reculons sans le quitter du regard, son visage s'adoucit et elle lança innocemment :

— Je vous prie de bien vouloir accepter mes excuses, Mark, mais c'était nécessaire : je voulais savoir si vous pouviez encore avoir mal.

Elle allait franchir la porte quand elle se ravisa :

— Vous ne pensiez tout de même pas que cela serait facile, Teddy Bear ?

Un souvenir de poignées de main

Quelques années auparavant. Le Docteur est encore étudiant, il flâne dans les couloirs de l'hôpital quand il est attrapé par un infirmier.

— Tu peux monter cette patiente en cardiologie ? Ils l'attendent et le brancardier est débordé.

La patiente, une vieille dame yougoslave du nom de Mme Dazhbog, a beau ne pas parler un mot de français, alors qu'il brinquebale du mieux possible le brancard à gauche, à droite, cognant les murs, les portes, le fond de l'ascenseur, il acquiert la certitude que le mot « aïe » a la même signification qu'en français…

Pas peu fier, le jeune Docteur bombe le torse et déboule en cardiologie comme le chef sioux Sitting Bull après la bataille de Little Big Horn.

Il lance à l'aide-soignante qu'il aime bien :

— Tu sais, brancardier, c'est vraiment un métier.

Elle lui fait une bise et lui glisse à l'oreille :

— Tu sais, la prochaine fois que tu transportes une patiente en brancard, ne la pousse jamais les pieds devant…

Quelques semaines plus tard, en stage de gériatrie, le hasard remet le jeune Docteur et la vieille dame yougoslave sur la même route. Mme Dazhbog est démente du sol à l'araignée du plafond, elle hurle toute la journée des vulgarités qui affolent les autres patients et leurs familles. Inexplicablement, on s'aperçoit qu'elle s'apaise au contact de l'interne. Pourquoi ? Allez savoir ! Pourtant, leur première fois s'était plutôt mal passée…

Aussi, le matin, quand la visite commence, le chef pousse le chariot des dossiers, l'infirmière pousse le chariot des médicaments à distribuer et le jeune Docteur… pousse le fauteuil de Mme Dazhbog de chambre en chambre ! Tout le monde passe une bonne journée. Avant d'entrer voir un patient, il lui dit :

— Madame Dazhbog, je sortirai de cette chambre dans dix minutes. D'ici là, vous serez sage, d'accord ?

— Gnagnagnagna, répond-elle immanquablement, ce que le Docteur traduira à l'époque par : « Ça marche, Eustache ! Mais ne sois pas trop long ou je me remets à agonir d'insultes le personnel et les gens qui passent. Comprendo ? »

Un jour, il se rase la barbe et se coupe les cheveux, Mme Dazhbog ne le reconnaît plus. Aussitôt, elle se remet à hurler sans discontinuer.

Il se passe quelque chose dans la tête du jeune médecin ce matin-là. La première d'une longue liste de compromissions. Le petit fil courant de son hémisphère gauche à son ventricule cardiaque droit se rompt en silence à l'exact instant où, pour ne plus entendre ses cris, le chef lui ordonne de fermer la porte de la chambre de Mme Dazhbog. Il y a ce geste-là, celui de sa main posée sur la poignée, et le bruit de la clenche qui tourne comme un verrou dans sa poitrine. À l'époque, le jeune Docteur se déteste d'avoir mis cette épaisseur de bois entre la vieille et lui pour avoir la paix et continuer à travailler.

Pourtant, parce que personne ne vient voir Mme Dazhbog pendant les heures de visite et qu'il ne veut pas qu'elle soit seule, c'est le jeune médecin qui reste auprès d'elle, relisant ses cours tout en lui tenant la main.

Une vingtaine d'années plus tard, devenu adulte et triste, la seule réminiscence que le Docteur garde de ces après-midi à réviser dans la chambre de Mme Dazhbog est une vague et irrationnelle détestation des poignées de porte, ainsi qu'un vague et irrationnel émerveillement pour les bonnes poignées de main.

Dehors, le ciel pesait gris et lourd, une bruine collante s'accrocha à son collier de barbe blonde. Ils s'accoudèrent à la voiture le temps d'une nouvelle cigarette.

« Je ressemble à ces plans d'eau où les gouttes perlent aux extrémités des mousses », se dit-il en croisant son reflet dans la fenêtre du taxi. Il frotta ses joues constellées de rosée, et des étoiles se dispersèrent dans l'air.

— Mon petit ? demanda la vieille dame avec douceur au bout de quelques minutes de silence.

— Oui, Sarah ?

— Si j'échoue, à quelle heure mettrez-vous fin à vos jours ?

L'homme s'accorda un temps de réflexion.

— À vingt-trois heures trente et une minutes et douze secondes, dit-il faiblement en agitant les poignets pour se moquer d'elle.

— Évoquez-vous toujours votre mort avec autant de détachement ?

Il haussa les épaules.

— Je ne sais pas, c'est une première tentative. Je fais de mon mieux.

Tout à coup, il posa la main sur la sienne. Leur discussion prenait un tour sérieux, il n'était plus question d'être léger.

— Vous perdez votre temps avec moi, de la même manière que je perds le mien à vous écouter. Ce sont mes derniers jours, nous devrions les employer à des choses plus essentielles. Je vais mourir, vous comprenez ?

Elle claqua des doigts.

— On touche au nœud du problème. Je voudrais que vous me rédigiez une liste. D'un côté, vous mettrez tous les inconvénients que vous ressentez à rester vivant ; de l'autre, vous écrirez tous les avantages que…

— Vous me connaissez mal, la coupa-t-il. J'ai déjà pensé à tout ça un millier de fois. Ma décision est arrêtée.

— J'ai tiré le pompon, vous partez vaincu chaque fois ! N'y a-t-il donc rien, là-dedans, que je puisse gratter, révéler et faire grandir ? dit-elle en tapant contre sa poitrine.

— Chez moi, Sarah, ce n'est pas le cœur qui décide, c'est la tête.

— Sottise ! Vous mourez d'amour pour votre femme, c'est donc le cœur qui vise la tête. Passons à la suite : vous prendrez une nouvelle feuille et vous m'établirez l'inventaire des choses que vous auriez aimé faire avant de trépasser.

Elle chercha des exemples :

— Manger un avion, rencontrer un personnage célèbre, faire de la plongée sous-marine dans sa baignoire ou aller à l'opéra sans payer sa place.

— De la peinture sur licorne ?

— Évidemment !

— Vous avez déjà creusé la question ?

— Ce que je vous demande est difficile et je peinerais beaucoup à y répondre, peut-être me donnerez-vous des idées ?

— Très bien, madame, vous aurez ça pour demain.

— Je serai devant chez vous à huit heures trente-quatre minutes et douze secondes exactement. Avant, il sera trop tôt ; après, il sera trop tard. À partir de maintenant, chaque minute compte.

Le Docteur était sûr qu'elle avait tort : il était déjà mort, et il n'y avait qu'elle pour l'ignorer encore.

L'épreuve du rêve

Depuis que sa femme n'était plus là, le Docteur n'était sujet qu'à un seul type de songes, et jamais plus d'une à deux fois par mois.

Toujours le même : il voyait son épouse s'en aller en lui disant que c'était sa faute. Il était là, les bras ballants, il n'arrivait pas à la retenir. Il courait, elle s'échappait, alors il accélérait, elle lui glissait entre les doigts.

Réveil. Seul. Triste.

Mais la nuit du troisième jour… Il se passa quelque chose d'inédit, d'important et fou : il crut dur comme fer l'avoir tenue dans ses bras !

Ce n'était qu'un rêve minuscule, mais elle en occupait tout l'espace. Il mordait sa peau, il pressait entre les mains ses seins lourds et blancs. « Bien sûr, idiot, que je t'ai pardonné », disait-elle en riant, puis elle lui effleurait le torse de la pointe de ses cheveux roux, posait les lèvres partout depuis son front jusqu'à son sexe. Le Docteur se réveilla trempé de sueur, avec la sensation aiguë d'être en vie et d'être ridicule, parce qu'il avait cette érection entre les jambes sans savoir quoi en faire. Qu'une partie de lui puisse être aussi ferme le surprit.

Au cœur de la nuit, debout devant la glace, il jaugea cette vieille connaissance pathétique, turgescente et inutile, plantée au milieu de son corps en héraut d'une bataille qui n'aurait pas lieu.

Ensuite, il vida toutes les bouteilles d'alcool qui traînaient dans l'évier. Le Diable s'il savait pourquoi il gâcha ainsi les boissons ! Cela faisait longtemps qu'il avait arrêté de chercher un sens à ses actes.

Il prit le téléphone, appela encore sa femme, laissa un long message. Des mots très simples : qu'elle était belle et douce, qu'elle marchait, dansait et respirait comme personne ne sait marcher, danser et respirer.

Et dans sa tête, ils faisaient l'amour, il usait son corps sur le sien, comme sur un savon, jusqu'à disparaître à force d'usure et de sueur. Quand il raccrocha, le Docteur-qui-aimait-sa-femme la crut en face de lui. Tant et si bien qu'il se mit à inventer : elle était là, il lui parlait et elle lui répondait.

— Tu sais que je ne ris plus, ma chérie ?

— Tu riais beaucoup, avant.

— Plus maintenant. Sourire, parler, manger, écouter, je fais semblant de tout. Si tu ne reviens pas, je le jure, je me tuerai. Ce soir ou dans quatre jours, peu importe, je me tuerai. Et je tiens toujours mes promesses, tu le sais.

Il était en colère contre sa femme autant qu'il l'aimait, et c'était épuisant.

— J'ai rêvé de toi, dit-il au cœur de la nuit, seul dans sa cuisine.

— C'était comment ? lui répondit-elle.
— Je ne sais plus très bien.
— Alors comment sais-tu que tu as rêvé de moi ?
— Je me suis réveillé et l'espace d'un instant j'ai été heureux.

QUATRE JOURS AVANT L'ENTERREMENT

La sorcière qui parlait aux morts

Le quatrième jour avant sa mort, la vieille dame fit plusieurs sales coups au Docteur et il plongea dans son piège les yeux fermés.

Un-deux-trois, les doigts de la vieille dame battaient la cadence, un-deux-trois, se soulevant l'un après l'autre, un-deux-trois, retombant sur le capot de la voiture tout en tenant le porte-cigarette, comme si elle flattait un cheval.

— Avez-vous la liste que je vous ai demandée ? dit-elle sans préambule, en se passant la main dans les cheveux.

Ceux-ci, retenus sur le sommet de sa tête par des peignes en écaille de tortue décorée de diamants fantaisie, semblaient d'un châtain plus clair que la veille, mieux accordé avec la couleur de son vêtement, une robe blanche rattachée au cou par deux fines tresses de soie mordorée.

Il lui tendit un papier plié en quatre.

— Tenez, Sarah. Ce que je voudrais faire avant de mourir n'a rien d'original.

Le Docteur la vit prendre le papier, le déchirer en huit, et balancer le tout dans le caniveau avec son mégot encore fumant.

— Non, non, non, vous ne l'avez pas écrite pour rien ! l'assura-t-elle devant son regard ahuri. Se tuer après avoir pensé à toutes ces jolies choses sera plus difficile ! (Passant son bras sous le sien, elle lui pinça une joue.) Supplicier les médecins suicidaires deviendra sous peu mon passe-temps favori, j'y prends goût.

Il contempla les petits carrés de papier blanc dans la rigole. Finalement, il n'était pas mécontent qu'elle ne les lise pas.

Sarah désigna l'entrée de son immeuble.

— Allons-y !

— Ch… chez moi ? Mais pourquoi ?

— Pour ranger les couteaux, cacher les cordes, verrouiller les fenêtres, proposa-t-elle. Ou mieux que ça : on va faire vos bagages ! Vous ne comptez pas aller là-bas les tétons à l'air ? On n'a aucune idée du temps qu'il fait. J'avais une tante, la numéro 8, elle s'appelait Martina. Très grosse étant jeune, elle avait perdu 87 kilos en deux ans suite à un pari stupide. Son corps ? Un jeu d'osselets dans un grand sac de peau chiffonnée ! Quand elle agitait les bras en vitupérant, on aurait juré une vieille chauve-souris battant des ailes, dit Sarah en mimant la scène. C'était une incorrigible bavarde. Toute sa vie, elle a jacassé, le jour, la nuit ! Même morte, elle continue. Si on colle l'oreille contre son caveau, on l'entend maugréer. Moi, elle m'a appris tout ce qu'il y a à savoir sur le soleil des morts. Elle vivait dans une drôle de maison montée sur une patte de poulet géante et elle…

— Sarah, l'interrompit-il excédé, je ne pars pas en voyage, je vais mourir !

— Justement, mon p'tit. Avez-vous fait vos vaccins ?

Sarah marcha droit vers l'ascenseur, où elle fit pianoter ses doigts sur le bouton du dernier étage, en riant parce que les gens font ça, qu'elle-même le fait et que « ça n'a aucun sens, car les ascenseurs ne monteront pas plus vite ».

— Comment saviez-vous que c'était cet étage et pas un autre ? dit l'homme en entrant dans la cabine. Tante Aldonza ?

— Aucune magie là-dessous : ce sont les appartements les plus chers et vous êtes chirurgien plasticien dans la clinique privée la plus huppée de cette ville.

Phrase qu'il interpréta dans sa tête par un « Hahahahaha, vous êtes mignon, monsieur le Docteur-qui-aime-sa-femme, tenez, voilà une poubelle, si vous cherchez bien au fond, vous retrouverez vos idéaux ». Ce qu'elle confirma aussitôt.

— Regardez vos mains !

Elles étaient douces et larges, de vraies mains d'accoucheur. Il se souvint avec tendresse que son épouse adorait y poser ses joues et parler durant des heures avant de s'endormir. « Là, disait-elle en égrenant ses doigts, on y dort mieux que dans un dix-étoiles. »

— Il y a des miracles au bout de vos doigts, Teddy Bear. Vous les sous-employez à dépoussiérer des bourgeoises vieillissantes. Toutes ces années d'études pour finir brocanteur ! Ajoutez cela à votre mort prématurée et on mettra une jolie épitaphe sur votre sépulture : « Ci-gît un beau gâchis ».

L'ascenseur montait désespérément lentement. Le Docteur sentait une colère sourde grandir en lui, alors il écarta la vieille dame, prit sa place et appuya avec frénésie sur le voyant lumineux du dernier étage.

— Plus je vous connais, madame, moins j'ose imaginer ce qu'on inscrira sur la vôtre, lâcha-t-il acide.

Puisqu'elle savait griffer, il décida de mordre.

— Regardez-vous, Sarah : il suffirait de trois fois rien pour vous rendre vos vingt ans, un petit lifting ici, une ou deux injections par-ci par-là…

Par son métier, le médecin pensait être sûr de savoir comment faire pleurer une femme mal dans sa peau en une phrase exactement. Parce qu'on ne peut jamais rendre ses vingt ans à une femme. Jamais.

Le visage de Sarah resta de marbre.

— Je suis une lady, mon petit, et les ladies n'ont pas besoin d'artifices de ce genre. Vous vous trompez sur mon compte, parce que j'ai mon franc-parler. Mais j'aime la vulgarité et j'aime la poésie ; elles me donnent l'impression de toujours dire la vérité.

Sur ces derniers mots, elle se tortilla et réajusta discrètement son sous-vêtement.

— Je vous prie de bien vouloir m'excuser, ma culotte était en train de me violer.

Elle avait sorti ça avec l'aplomb d'une reine en campagne. Il en fut consterné.

— Viol ! Vous n'avez que ce mot à la bouche, Sarah ! Ce n'est pas drôle, cela arrive tous les jours, à des milliers de victimes.

— Si vous saviez comme vous avez raison… dit-elle, et un rideau de tristesse lui voila instantanément le visage.

— Sarah, je…

Il eut de la peine en la voyant se forcer à sourire.

— Allons, allons, ce n'est rien, qu'importe le passé !

L'ascenseur s'ouvrit, elle s'échappa aussitôt. Il la suivit docilement dans le couloir, très mal à l'aise.

Elle avisa une grande porte en bois et, pour lui clouer le bec une nouvelle fois, elle lança :

— Aldonza me souffle à l'instant que c'est ici, n'est-ce pas ?

Royalement, elle attendit sur le côté qu'il lui ouvre la porte. Il essaya de mettre un peu de fantaisie dans sa voix, qui était triste :

— Après vous, Lady Kokelicöt.

La lady se fendit d'une révérence et pénétra dans l'appartement en faisant remarquer que les boiseries en chêne n'étaient ni belles ni chaleureuses, et que le parquet était joli seulement parce que le jour y tombait depuis une série de petites fenêtres à vitraux. Ensuite, elle se mit à danser, virevoltant à droite, à gauche, tournoyant autour d'un pilier, applaudissant de-ci, de-là.

— Finalement, j'ai changé d'avis, mon petit : quel endroit magnifique !

Elle avait l'air immensément heureuse.

— Sarah ?

— Oui, Teddy Bear ?

— Vous êtes bizarre.

— Mais, mon cher, quand on est aussi riche que moi, on n'est pas bizarre, on est excentrique !

Et elle explosa de rire.

— Quelle est la plus petite ? dit Sarah en désignant les valises vides que le Docteur était venu déposer à ses pieds à sa demande.

Il sortit du lot un minuscule attaché-case en cuir noir.

— Mettez-la de ce côté, posez les autres ici. La sacoche servira à mettre ce que vous emmènerez dans l'au-delà. Je vous donne droit à quatre objets, ni plus ni moins. La boîte avec le pistolet et les chargeurs ne compte pas. Tante Héloïsa lisait les livres sans les ouvrir, alors n'essayez pas de tricher, je le saurai. Les autres bagages serviront à ranger le reste, nous le donnerons aux plus nécessiteux.

Elle ouvrit un placard, détailla sévèrement un pull jacquard vert et rouge qui parut tout à coup au Docteur être la plus horrible chose qu'il eût jamais possédée.

— On va tout donner ?

— À moins que vous renonciez à la mort… dit-elle en laissant sa phrase en suspens.

Il partit dans la chambre.

— Et que ça fourrage sec dans les commodes ! commanda-t-elle depuis l'entrée.

Par le miroir du couloir, il la vit attraper les livres de la bibliothèque, les ouvrir, les parcourir à peine, puis les jeter négligemment par-dessus son épaule.

— Excellents choix, vos bouquins ! Ils ne sont ni trop lourds ni trop légers et le dos cartonné fait un excellent contrepoids. Ils volent très bien.

La vieille dame s'arrêta net devant un cadre argenté : l'épouse du Docteur dans un jardin et riant aux éclats. Lorsqu'il fit irruption en tenant une valise pleine dans chaque main, Sarah l'interrogea, désinvolte :

— Saint Christophe ! Est-ce elle ? Joli brin de fille ! Même si je la voyais plus grande. Elle s'appelle ?...

— Anastasia. Mais elle préfère Ana.

— Elle vous a quitté parce que vous étiez devenu trop gros ? lâcha-t-elle perfidement.

Il la toisa froidement.

— La méchanceté ne vous va pas, Sarah.

— Je n'essaie pas d'être méchante, j'essaie d'être efficace. (Elle lui tendit le cadre en jouant l'indifférence.) À la poubelle !

Stupéfait, il resta sans réagir.

— Jetez-moi ce cliché ! insista-t-elle.

C'était sa photographie préférée. Il lui arracha le cadre des mains.

— Vous n'y toucherez pas !

Elle marcha droit vers le balcon et ouvrit largement la porte vitrée.

— D'accord pour les ordures, vous n'avez qu'à la balancer par là.

Le froid s'engouffra dans la pièce et fit frissonner le médecin.

— Je vous ai dit non, vous êtes sourde ?

La vieille dame poussa le pavillon de son oreille vers l'avant :

— Quoi ? Que dites-vous ? Je suis tellement âgée, il vous faudrait utiliser une table ouija et un médium pour que je vous entende !

Il la foudroya du regard, pressa le portrait contre son ventre. Il aurait pu lui dire la vérité, mais non. Impossible. Son cœur battait à tout rompre.

— Vous voulez mourir ? s'énerva-t-elle. Avant, il va falloir se détacher du monde, jeter du lest, le jeter fort, le jeter loin !

Elle montra la fenêtre du doigt, balança sa cigarette sur son tapis sans susciter la moindre réaction de la part du Docteur, énerva son talon sur le sol.

— Quelle importance peut avoir ce simple petit morceau de papier coloré quand on n'a plus aucun goût pour la vie terrestre !?

— Sarah, vous m'avez donné le droit d'emporter quatre objets, je ne prendrai que celui-ci, gardez tous les autres.

Il saisit la photo derrière le verre, la glissa dans une de ses poches.

— Voyez : je vous laisse la carcasse.

La mort dans l'âme, il la planta là et retourna à son remue-ménage, plongeant dans plusieurs années de souvenirs.

Le nombre de choses inutiles qu'il possédait ! À l'image de cette petite coupelle dans l'entrée pleine de piles usagées, de boutons de chemise, de vis, de clefs, de cartes de visite d'endroits où il n'irait plus, de gens qu'il ne rappellerait jamais...

Dans ses placards, il avait quantité de paires de chaussures, « mais je n'ai que deux pieds », se dit-il ; il possédait plusieurs manteaux d'hiver, « mais il n'y a qu'un hiver par an ». Il fut terrassé qu'une telle évidence le frappe maintenant, au terme de son existence. Il avait amassé les objets comme une pie amasse son trésor. Avait-il toujours vécu ainsi, dans la même horizontalité qu'un cercueil ? L'inventaire de sa vie se réduisait à une simple succession de dépôts et de remises. Affligeant.

Sarah entra dans la chambre et annonça qu'elle bouquinerait sur le balcon pendant qu'il remplissait sacs et valises.

— Puis nous les porterons où tout ce fatras pourra servir à quelqu'un d'autre.

Elle s'apprêtait à quitter la pièce quand son regard tomba sur la sacoche en cuir. Elle posa la main dessus et sembla deviner son contenu : le fameux pistolet, la petite boîte rouge avec son chargeur vide et son chargeur plein. Rien d'autre. Elle soupira et revint vers lui.

— J'ai failli oublier, dit-elle en se cognant le front avant de lui tendre d'autres sacs vides. Avez-vous un smoking noir, Teddy Bear ? Nous en aurons besoin demain.

— Tous les médecins ont un costume : ça nous est livré en même temps que le stéthoscope, la condescendance et l'écriture hiéroglyphique.

Elle lui effleura le menton.

— Médecin, mignon et lucide, tout ce dont une femme pourrait rêver ! Décidément, mon petit Mark, votre épouse a été bien inconsciente en vous abandonnant.

Il ne voulut pas s'aventurer sur ce terrain-là et lui demanda où elle avait l'intention de l'emmener demain.

Elle choisit de rester vague :

— Contracter une dette avec un très grand ami.

— Et le smoking, à quoi servira-t-il ?

— À quoi voudriez-vous qu'il serve ? Un enterrement, bien sûr !

Un souvenir de la peau

Vingt-deux ans. Premiers cours d'anatomie. Le jeune Docteur est fasciné par la peau. La sienne, mais aussi celle de ses patients et ce qu'elle raconte de leur vie.

Dans la chambre 12 d'un petit hôpital où il fait ses classes, sa route croise celle d'un vieil homme, M. Sol. Une cicatrice lui barre la moitié du visage. Un grand point d'interrogation qui descend du coin de l'œil au menton. Une étrange ponctuation sur sa figure : comment ? Qui ? Pourquoi ? Dans le service, tout le monde voudrait savoir, mais personne n'ose lui demander. Un jour, prenant son courage à deux mains, le jeune Docteur va s'asseoir près de lui et le questionne sans détour :

— C'est quoi, cette marque sur votre visage ?

Curieusement, M. Sol est très content de le lui dire. Aucune gêne dans sa voix. Il raconte et le jeune Docteur l'écoute avec plaisir. Il aime les histoires et il se demande parfois si cela n'est pas la raison profonde qui le pousse à soigner : écouter l'histoire des autres.

M. Sol en termine ainsi : « J'avais quatre ans quand c'est arrivé. Cela ne m'a pas empêché d'être heureux. Des femmes sont tombées amoureuses, l'une d'elles a su m'attraper comme il faut, et je lui ai fait quatre enfants. »

À l'époque, une coïncidence fulgurante interpelle la très jeune humanité du très jeune Docteur : à côté de la chambre 12, il y a une vieille dame très élégante, Mme Sel. Elle et son voisin d'hospitalisation ne se voient pas ; ils ne se croisent peut-être même pas dans les couloirs. Pourtant, ils ont deux choses en commun : la vieillesse et une cicatrice. Il y a celle de M. Sol, qu'il porte en travers de la figure avec fierté. Il y a celle de Mme Sel, qu'elle camoufle scrupuleusement tous les matins en appliquant du fond de teint sur le tatouage de son avant-bras. Sa famille est morte à Auschwitz, mais elle n'en parle à personne.

Plus tard, quand il vint lui annoncer qu'il en avait assez de trier ses souvenirs, elle lui montra la salle de bains et lui demanda de se laver.

— Puis vous prendrez cette lame et vous vous raserez de la tête aux pieds.

— Vous vous moquez de moi ?

Elle jeta en l'air une bombe de mousse à raser sortie de nulle part. Il l'attrapa au vol.

— J'ai dit que je vous remettrai au monde tel que vous y êtes venu, je tiens parole. (Elle eut un grand geste du bras pour désigner l'appartement.) Êtes-vous à quelques poils près quand il ne vous reste plus rien ? Épargnez les sourcils, mais n'oubliez pas le pubis, et votre crâne doit briller comme un sou neuf.

— Vous êtes dingue, asséna le Docteur avec la conviction de délivrer un diagnostic définitif.

Les yeux de la vieille dame pétillèrent de joie.

— C'est le plus beau compliment qu'on m'ait jamais fait, bredouilla-t-elle.

Sarah le pensait sérieusement, il se sentit forcé de la corriger.

— Ce n'est pas une qualité, c'est une maladie.

Porté par un sursaut de vie inattendu, il fit mine de tenir une cigarette et la singea.

— Ça a causé bien des malheurs à ma défunte Francesca…

— Oh, Teddy Bear ! Vous aviez donc aussi une tante Francesca ?

— Bien sûr ! Tout le monde a une tante Francesca ! Quand la mienne était amoureuse, elle exsudait par les pores de la peau de minuscules fleurs en tout point semblables à des roses des sables. Un jour, son amoureux l'a quittée pour une trapéziste itinérante, alors elle s'est mise à sécréter des clous. Elle n'en crachait pas un, ni deux, non… Plusieurs dizaines par jour ! Cinquante ans après, toutes les charpentes de cette ville tiennent grâce à ce cœur d'artichaut de Francesca. Épatant, n'est-ce pas ?

Ils se regardèrent en silence. Se sourirent. À cet instant précis, ils se reconnurent.

Elle en profita pour lui tendre un rasoir neuf.

— Allez, mon p'tit, au bain !

— J'imagine que je n'ai rien à dire ?

— Un seul mot : merci.

Il passa l'heure suivante à prendre la plus longue douche de sa vie, redécouvrant le plaisir simple de l'eau chaude, puis de la mousse. Avec le rasoir, il sacrifia les poils des jambes, du ventre, de la tête, puis, l'index posé sur le gros orteil du pied droit, il remonta lentement. Comment décrire la douceur de cette mue nouvelle ? Aucun poil n'arrêta la course de son doigt, du pied jusqu'au sommet du crâne. Une vraie patinoire.

Seul dans cette salle de bains, il regarda l'image renvoyée par la glace. Cette larve glabre et laiteuse, c'était lui. Il se tenait debout, nu et pâle ; il peinait à se reconnaître. Ses deux grands yeux verts, il les redécouvrait, ce front blanc interminable, jamais touché par le soleil, il le voyait pour la première fois. Sans cheveux, sans poils et sans cicatrices, il eut l'impression étrange d'être devenu un être sans mémoire ni passé.

« Voilà, pensa-t-il. La vieille a réussi : j'ai le corps d'un nouveau-né. »

Sarah donna des coups dans la porte, le ramenant à la réalité.

— Alors, Teddy Bear, comment vous sentez-vous ?

— Léger, dit-il en passant la main sur son crâne chauve.

— Rien d'autre ?

— Moche.

— C'est tout ?

— Propre.

C'était déjà une grande avancée. Cela faisait des mois qu'il se négligeait : il avait laissé sa barbe et ses cheveux pousser en jachère, son hygiène était devenue déplorable, et à trop remettre les mêmes vêtements sans même les nettoyer, il promenait partout une odeur insupportable de transpiration sale. Il puait de tristesse.

Quand il ouvrit la porte, Sarah entra et saisit son menton fermement, l'observant sous toutes les coutures avant de se reculer et de lâcher d'un ton définitif :

— Un beau bébé, joufflu et potelé comme je les aime ! On lui presserait le bout du nez, il en sortirait du lait.

Il la défia de toute la force de son regard et prononça en serrant les dents :

— Et maintenant, la vieille, on va où ?

Le pont maudit

C'était un pont, non loin de l'immeuble où ils s'étaient adonnés la veille à un massacre sans précédent de mémoire de courge. Ils s'installèrent sur le parapet, les jambes pendant dans le vide. Elle posa la tête sur son épaule et ils restèrent un moment en silence à regarder l'eau couler.

— Mon petit ?

— Oui ?

Elle lui prit la main, lui fit tâter le parapet.

— Que sentez-vous ?

— La pierre.

— Est-ce bon ?

— Ni bon, ni mauvais, c'est de la pierre !

Elle s'inclina, les yeux plus concentrés qu'un chercheur d'or.

— Personne ne va sortir du fleuve, Sarah.

— Penchez-vous, dit-elle.

Ce qu'il fit.

— Encore.

— Comme ça ?

— Oui. Connaissez-vous la différence entre une personne qui saute du dixième étage et une personne qui ne saute que du premier ? Non ? Quand celle du dixième tombe, on entend le cri suivant : « Aaaaaaaaaah ! » Puis ce bruit : POUM ! Quand celle du premier étage chute, on entend d'abord ce bruit : POUM ! puis : « Aaaaaaaaaaah ! »

Il allait se redresser pour faire semblant de rire quand elle le poussa en avant, comme les enfants quand ils jouent à se faire peur. L'espace d'un instant, il se vit mort : ne pouvant assurer aucune prise, il dérapait et basculait dans le vide.

Une idée étrange le parcourut : il ne pensa pas « elle me tue », mais « elle me sauve », et il éprouva même un sentiment de gratitude infinie pour cette femme qui abrégeait sa vie. Tomber aurait été si rapide, si facile…

Il vacilla, mais Sarah le tenait bien. Elle le scrutait profondément. Alors même qu'elle riait négligemment de sa blague potache, il lut de l'affolement dans son regard. Le Docteur comprit pourquoi la vieille l'avait amené ici ; il venait de passer un test dont la conclusion était sans équivoque : « Il ne craint pas vraiment la mort, et sa résolution est définitive : il mettra fin à sa vie dans quatre jours. »

— Et moi qui ai cru mourir trois jours plus tôt ! lança-t-il en adoptant une décontraction très exagérée.

— Pas ici, dit-elle sans nier que l'idée de le tuer ailleurs eût pu lui traverser l'esprit et en se redonnant une contenance, cela nous porterait malheur. Savez-vous pourquoi les gens du coin appellent cet endroit

« le pont du Noyé » ? Il y a très longtemps, un homme s'est jeté dans le fleuve.

Elle lui tira sur le bras et lui montra le sol.

— Voyez-vous cette fêlure ? En sautant, la somme de regrets qu'il avait concentrée est sortie d'un seul coup et a fendu le béton en deux, craaaac !

— Pourquoi s'est-il tué ?

— Dépit amoureux. Ou une histoire dans ce genre-là… Les gens ont montré leur amour du doigt. Il y a même eu des crachats et des quolibets. La jeune fille, qui n'était pas assez courageuse, a abandonné le jeune homme.

Elle lui indiqua le sol où une dalle manquait.

— Ce trou aurait été fait par l'homme : l'histoire raconte que, tous les trois pas, il se serait baissé, aurait arraché une pierre mal scellée et l'aurait fourrée dans son manteau pour couler plus vite. On aurait retrouvé treize gros pavés dans ses poches. Il devait être sûr que son aimée se rendrait compte de son erreur et reviendrait. Il se serait avancé sur le pont tôt le matin, mais quand il sauta il était tard le soir. Quelle insupportable attente ça a dû être !

— Et la jeune fille, elle est devenue quoi ?

— Personne ne sacrifie l'amour impunément, Teddy Bear. À cause de sa lâcheté, elle fut condamnée à une vie misérable. Les habitants du quartier jurent qu'elle revient ici très souvent, pour regarder l'eau et demander pardon. Pauvre femme…

Silence.

— Croyez-vous qu'il a souffert, reprit-elle, quand il s'est noyé ? Est-ce que ça a été long ?

Inexplicablement, le Docteur voulut faire un pas vers elle et la prendre dans ses bras, mais elle le devança et lui attrapa la main.

— Voulez-vous vraiment savoir pourquoi nous sommes là ?

Elle guida ses doigts vers la brèche et les promena à l'intérieur, les passant lentement sur la surface rugueuse de la pierre.

— Nous sommes là pour discuter avec le monde avant de le quitter.

Le Docteur ne savait pas si elle parlait du pont ou de l'existence en général, mais il se sentit soudain traversé d'un intense sentiment de tristesse.

— C'est froid, dit-il.

Silence.

— Est-ce bon, mon petit ?

— Ni bon, ni mauvais. C'est… là.

Elle hocha la tête, satisfaite.

— Le monde est magique. Il nous aime et il nous pleure, il brise même des roches en deux pour nous le prouver. Maintenant, restez là et parlez-lui, j'ai des fourmis dans les orteils, je veux les écraser en me dégourdissant les jambes. Ensuite, nous irons à l'aéroport boire du sirop de pingouin et du champagne.

Elle tapota trois fois son crâne chauve, puis s'éloigna pour faire mine d'aplatir de minuscules insectes en tapant violemment le sol du bout de ses grosses bottes rouges.

Profitant qu'elle avait le dos tourné, il retira doucement la main du trou en se moquant d'elle. L'image de sa femme lui traversa la tête comme une photo dans une cage. Il réfléchit une seconde, puis, inexplicablement, il remit doucement la main dans l'ouverture pour entendre ce que la pierre avait à lui dire.

Après tout, il n'avait jamais essayé d'écouter.

Un oiseau pour M. Andeya

Sarah tourna sur la route à droite, vers l'aéroport.

— Vous partez en voyage ? demanda-t-il.

— Oui.

— Où ?

— Loin.

— Combien de temps ?

— Longtemps.

— Quand ?

— Dans quelques jours, mais j'ai déjà mon billet, je viens chercher celui de M. Andeya, un ami. Arrêtez de me poser des questions, Teddy Bear.

Silence. Elle regarda la route, lui jeta un coup d'œil et finalement avoua aimer ces endroits. Les aéroports, les gares, les marinas, les lieux d'arrivée de toutes sortes...

— Les gens s'attendent longtemps, se voient, s'embrassent et se serrent dans les bras. Ça vous remonte le moral !

Il se demanda s'ils étaient venus ici pour cela, lui remonter le moral. Il sourit tristement et, alors que la vieille cherchait une place où se garer, il se sentit vraiment au bout du rouleau, bon à jeter.

Ils descendirent de la voiture et montèrent dans un ascenseur pendant que Sarah continuait de parler, inspirée.

— Le plus important, ce sont les interminables minutes d'attente. Elles mettent en appétit. Avez-vous déjà vu le visage des gens qui patientent là ? (Il fit non de la tête.) Nervosité et anxiété se chevauchent l'une l'autre et ça vous tord les traits d'une manière imperceptible mais exquise. Quel spectacle fantastique !

Les portes s'ouvrirent. L'agrippant par la manche, elle le mena vers le terminal des arrivées qui grouillait de monde.

— Avec un peu de chance, on verra des amoureux, ce sont les plus faciles à reconnaître.

— Ils bavent ?

— Ils tiennent un bouquet de fleurs, le corrigea-t-elle.

Ils s'installèrent à la terrasse d'un café de l'aéroport. Sarah prit une coupe de champagne. Le Docteur se contenta d'un thé glacé : il avait remarqué le coup d'œil soupçonneux qu'avait lancé la vieille devant les bouteilles d'alcool vides qui traînaient dans sa cuisine et, même si cette vieille ne représentait rien pour lui, il en avait conçu une grande honte.

Il eut l'air subitement très malheureux : sa boisson pleine de glaçons venait de lui rappeler que cette nuit, en allant aux toilettes, il avait senti un froid vif sous son pied. C'était le peigne de sa femme, tombé par terre et glacé comme la mort.

Sarah approcha son verre du sien et le frappa doucement en produisant un bruit d'étoile qui casse.

— Ne craignez pas la tristesse, mon petit, elle est la trace éclatante que quelque chose de beau a existé !

Un souvenir de la lumière

Vingt-sept ans. Si tout se passe bien, le jeune Docteur sera bientôt diplômé et intégrera le plus prestigieux service de chirurgie pédiatrique du pays.

Il part au domicile d'un nouveau patient.

M. Nuit, quatre-vingt-douze ans.

Celui-ci le fait entrer, et quand le jeune Docteur le regarde, il trouve son regard étrange. Il lui tend la main, mais le vieil homme fixe le mur à travers lui.

— Je ne vois plus rien, dit-il.

« Elle est horrible, cette phrase », pense le jeune Docteur.

Il lui attrape la paume, la serre ; elle est douce. Les rides détendent parfois les chairs et leur donnent une élasticité que les peaux jeunes n'ont pas. Petite compensation de la décrépitude : on est vieux, mais moelleux.

La maison de M. Nuit est remplie de papiers. Telles des colonnes d'un temple inachevé ou des stalagmites carrées, les tas de feuilles s'amoncellent, et le Docteur doit naviguer entre eux pour ne rien renverser. Le vieil homme connaît le chemin par cœur et marche d'un pas sûr vers sa chambre, la main droite devant lui, comme Œdipe sacrilège.

Le jeune Docteur l'installe sur le lit. L'examine. Tension artérielle, auscultation du cœur et des poumons.

Au mur, il y a des photos. Des milliers de photos. Que des nus et des couples enlacés. Des hommes avec des femmes, des femmes avec des femmes, des hommes avec des hommes. C'est beau. Des muscles et des nattes. C'est beau. Des mains larges et des épaules fines. Partout. C'est beau.

Le jeune Docteur siffle.

— Eh ben ! Toutes ces photos ! Elles sont MA-GNI-FIQUES !

Le vieux sourit. Il dit que c'est lui qui les a prises, avant il était photographe et il aimait capturer la beauté des corps nus frappés par la lumière.

Il dit que la lumière lui manque.

Alors le jeune Docteur s'assoit à côté de lui, lui décrit par le menu l'éclat blanc du ciel de janvier, le miroitement jaune du soleil dans les flaques, la tournure verte que prend la rouille sur la gouttière en cuivre. « Un pigeon vient de se poser sur le balcon, un chat le suit des yeux. Entre eux, une vitre. La mise à mort n'aura pas lieu. »

M. Nuit saura tout de la grande course du monde à cet instant précis.

Quand il remonte dans sa voiture, le jeune Docteur pense à son grand-père.

Le vieux est mort depuis deux ans, maintenant. Le vieux lui manque.

La princesse dans le château obscur

— Comment avez-vous fait la connaissance de votre épouse, Teddy Bear ?

Silence.

— Pardonnez-moi, je suis indiscrète : un vilain défaut qui vous pousse en même temps que les rides et les plis.

Elle promena ses doigts autour des lèvres en souriant largement, ce qui eut pour effet de lui donner l'air encore plus vieille et plissée. Lui, attrapa un coin de la nappe en papier et entreprit minutieusement de la déchirer en petits morceaux.

— En quoi notre rencontre vous intéresse-t-elle ?

— J'adore entendre les emmerdes des autres.

Il la vit le dévisager à travers le prisme ambré de sa coupe de champagne, puis sortir son porte-cigarette.

— Il est interdit de fumer à l'intérieur, lui dit-il en espérant changer de sujet.

— Bla-bla-bla. Racontez-moi votre histoire !

Il se renfonça dans le siège.

— À quoi bon ? Elle est d'une banalité affligeante. C'est même la plus banale des histoires d'amour banales.

— Cela tombe bien, j'adore ça ! J'ai eu une vie si étrange et si peu commune que la banalité affligeante est pour moi d'un exotisme inouï.

— C'est douloureux, tenta-t-il.

— J'adore la douleur ! J'ai eu une vie si douce et calme que la douleur est pour moi…

— Arrêtez votre cirque, Sarah.

Il attrapa un nouveau coin de nappe et l'attaqua avec la même méticulosité que le premier.

— Teddy Bear, Teddy Bear… Il faut montrer du doigt ce qui vous fait souffrir et articuler distinctement dans sa tête : « Ceci est mon souvenir, il est douloureux, mais il m'appartient. » Ne pourriez-vous pas, juste une fois, faire ressurgir les félicités passées, les étaler au grand jour ? Ensuite ? Tordre le cou à la nostalgie, dépoussiérer le parquet du bonheur, gesticuler dessus et rendre la piste de danse aux vrais artistes : nous, les vivants.

Silence. L'homme pensa que la vieille avait raison, et cela le mit mal à l'aise. Il tendit la main pour attraper une serviette en papier et la réduire en charpie à son tour, mais le distributeur était vide. Il se rongea un reste d'ongle.

— Aimer, boire, danser et, quand il est minuit à la grande horloge de la vie, marcher dans la lumière, mais le dos droit et la mine fière, ajouta-t-elle songeuse.

Il eut la conviction qu'elle essayait de se convaincre elle-même et soupira.

— Très bien, Sarah… Je marchais dans un couloir de l'hôpital. J'ai vu, couché au pied d'une jeune femme, un labrador magnifique : musclé, couleur miel, la truffe humide. J'étais stupéfait : tout le monde sait que les animaux sont strictement interdits. L'apparition d'un animal aussi superbe dans un endroit aussi morne m'a rempli d'une joie inexplicable. Je me suis agenouillé, j'ai donné trois petites caresses à la bête et j'ai dit : « Il est beau, votre chien. » La jeune fille a levé les yeux vers moi et a dit en riant : « Je ne sais pas, monsieur, je ne l'ai jamais vu. »

— Quoi ! Vous voulez dire qu'elle était…

— Aveugle, oui.

— Vous avez manqué une belle occasion de vous taire.

— On pourrait le croire, quand on ne connaît pas la fin de cette histoire.

— Et quelle est la fin de l'histoire ?

— Je l'ai épousée.

— Qui ? Le chien ?

Sarah attrapa une nouvelle cigarette. Il ne rit pas. Même pas un sourire, rien. Il se resservit à boire et but en arrondissant les lèvres autour du verre comme un bébé au sein.

— Je me sentais idiot, je me suis confondu en excuses, elle a dit : « Il n'y a pas de mal » et m'a expliqué qu'elle venait essayer un nouveau traitement expérimental.

Sarah tendait l'oreille avec une curiosité de petite fille à laquelle on parle de princesse, de château et de dragon.

Honteux de sa maladresse, le jeune Docteur avait regagné rapidement son service. Deux mois plus tard, quelques jours avant Noël, il était entré dans une librairie pour acheter des cadeaux et avait tendu le bras vers le dernier exemplaire de *Cent ans de solitude*, quand une main s'en était saisie avant lui…

— Sur le coup, je ne l'ai pas reconnue, mais elle a dit : « l'homme du couloir » et m'a avoué que mon parfum m'avait démasqué.

Ce n'était pas ce qu'il était venu chercher dans cette librairie, mais à la minute où il avait vu la jeune fille, il avait su qu'il avait trouvé bien davantage.

— Ce jour-là, elle s'est excusée en me tendant le livre : « Tenez, prenez-le, de toute façon, vous l'aviez probablement vu en premier » ; elle ne manquait pas d'humour. Le nouveau traitement avait été un succès. Après une vie plongée dans les ténèbres, elle devait tout apprendre : les couleurs, les distances, le visage de ceux qui l'entouraient. Je lui ai rendu le livre en lui disant que je l'avais déjà lu, que c'était une histoire inoubliable et qu'elle passerait un moment formidable.

Le Docteur la revit très nettement entre les rayons de livres, avec ce sourire étrange et vague, ce sourire avide d'exister mais trop avare de ses mystères pour s'exposer longtemps.

Il avait gagné la porte de la librairie quand elle lui avait crié : « Ne sortez pas, stop, attendez ! » et l'avait rejoint.

— Vous ne pouvez pas sortir, il pleut.

— J'ai un parapluie.

— Justement, pas moi. (Elle avait entortillé une mèche autour de son doigt, de façon très enfantine et naïve, puis avait montré la pluie dehors.) Je vais me noyer avec toute cette eau.

Il l'avait raccompagnée.

Sur le chemin, ils avaient discuté théâtre et poésie. Elle avait parlé, parlé, parlé, le Docteur l'avait trouvée de plus en plus belle à mesure qu'elle parlait. Au pied de son immeuble, elle lui avait dit qu'elle s'appelait Anastasia, comme la princesse russe, qu'elle voulait faire demi-tour et aller boire un verre. Du chardonnay pour elle, du rouge pour le Docteur. Ensuite, il y avait eu un risotto aux truffes pour elle, un tartare aller-retour pour lui. Elle était tombée amoureuse entre la tarte au citron et le café. Il était tombé amoureux entre la tarte au citron et le café.

— C'est parce que vous aviez pris le même dessert, avança Sarah, sûre d'elle. Coup classique !

« Peut-être aussi était-ce parce que nous étions l'un et l'autre affreusement seuls dans nos vies », pensa le médecin en se mordant l'intérieur des joues.

Le dîner terminé, le Docteur et la jeune fille avaient déambulé longtemps dans les rues et, quand il l'avait ramenée sur le pas de sa porte, elle l'avait fixé en déclamant : « Car aux lignées condamnées à cent ans de solitude, il n'était pas donné sur terre de seconde chance », avant de lui agripper l'oreille et de lui susurrer malicieusement qu'on lui avait déjà lu *Cent ans de solitude*, qu'elle l'avait trouvé sublime, mais qu'elle n'était pas d'accord : « Tout le monde a droit à une seconde chance. »

— A-t-elle vraiment dit cela ? s'étonna Sarah en se reculant, piquée au vif.

Son verre laissa échapper un chuintement aussi bref que minuscule : elle venait de faire tomber la cendre de sa cigarette au milieu des bulles.

— Pourquoi ça vous étonne ?

— Pour rien…

— Vous mentez, je vous ai vue sourciller.

— Puisque je vous dis que non. Continuez, je vous prie.

— Sept mois plus tard, on se mariait et on partait à l'autre bout du monde. Elle avait décidé de reprendre ses études d'infirmière et d'ouvrir un centre pour malvoyants. C'était une battante.

— Une révolutionnaire, fit la vieille dame en s'extasiant, vous étiez tombé amoureux d'une révolutionnaire.

— Pire que ça : une rêveuse.

— Finalement, l'a-t-elle créé, son centre de soins ?

— Je terminais mes études, répondit-il sans dire non. Nous nous sommes retrouvés limités financièrement. Elle s'est engagée dans des luttes locales, s'occupant des déshérités, des laissés-pour-compte du système de santé. Je rapportais l'argent, elle sauvait le monde. Le temps est passé. Quand nous avons eu assez d'économies pour acheter l'appartement, il était trop tard, elle avait oublié son combat à cause de moi.

Le Docteur releva la tête.

— Vous avez vu, hein, je ne vous ai pas menti : c'est d'une banalité effrayante.

Silence.

— Il m'arrive de composer son numéro, continua le Docteur en ramassant des miettes de pain imaginaires sur la nappe, pour entendre sa voix. Une fois, je n'en suis pas vraiment sûr, cela a décroché : il y avait sa respiration au bout du fil. Peut-être n'était-ce pas réel, mais j'y crois, parce que ce serait trop horrible sinon, ce serait trop terrifiant si les gens qu'on aime ne répondaient plus à nos appels…

Il s'interrompit, balaya d'un geste brutal du bras ce qu'il venait de dire.

— Ces choses ne vous intéressent pas, elles ne vous regardent même pas, j'ignore pourquoi je vous en parle. Je…

Un bref instant, il fut tenté de lui dire enfin toute la vérité, mais il resta muet.

Elle respecta son trouble, laissa tomber sa cendre sur le sol, puis but et fuma encore. Les gens autour d'eux râlèrent à cause de la fumée. Ça la fit rire, alors elle paya une tournée générale afin de les remercier de « ce bon moment passé tous ensemble ».

Grand seigneur, elle sortit un gros billet et le jeta négligemment sur la table. C'était le signal du départ.

— Finissez votre soupe au thé froid ! Mes enfants vont m'attendre. Ils m'emmènent pêcher. Je n'ai jamais pêché de ma vie et je suis très impatiente.

Il avala sa boisson d'un trait. Elle leva les deux poignets et ses montres brillèrent d'un éclat vif.

— Le temps, le temps, le temps ! Dépêchez-vous, je vous ramène dans votre grand appartement froid et vide.

— Il est encore loin d'être vidé, la corrigea-t-il.

Ce que des années de thésaurisation avaient fait, une seule matinée n'aurait su le défaire, croyait le Docteur. Même aidé d'un ouragan en robe de soirée blanche et bottines rouges.

— Détrompez-vous, dit Sarah joyeusement, j'ai subtilisé vos clefs tout à l'heure et je les ai données à un ami en arrivant ici. Pendant que nous papotions, une trentaine de personnes sont venues chez vous faire leur marché. Je ne suis pas sans cœur : ils n'ont pas touché au lit !

La vieille femme se tut, observant avec attention les expressions que le visage de l'homme adoptait successivement.

Au lieu d'être abattu ou mélancolique, il ressentit un calme immense à l'idée que ses biens servent à de plus vivants que lui.

— Ce serait gâcher sinon… appuya Sarah en lisant dans ses pensées.

— Je n'ai plus rien ?

— Vous n'avez jamais rien eu, le corrigea-t-elle en levant puis en rabaissant la main qui tenait sa mille et unième cigarette de la journée. Abracadabra, mon p'tit ! À l'heure qu'il est, vous êtes absolument tout nu.

Il haussa les épaules, indifférent. Le destin glissait sur lui. « D'ailleurs, pensa-t-il, exister moins que moi, c'est mourir. »

— Vous ne vous rendez pas compte combien c'est grave, conclut-elle avec enthousiasme en lui tapant dans le dos, vous voilà condamné à la liberté !

La princesse perdue

En rentrant ce jour-là dans son immense appartement vide, le Docteur s'endormit comme une souche et se réveilla en sursaut à minuit, les yeux gonflés de mauvais sommeil, plein du souvenir de sa femme. Il était sûr d'avoir respiré son odeur.

— Ana ? Tu es là ?

Hagard, il la chercha dans les draps de son lit. Il regarda derrière la fenêtre et fouilla la nuit, fixant tout cet espace noir : l'ombre était si grande, si profonde, elle y trouverait une place – même minuscule – d'où elle pourrait lui revenir.

À quoi bon vivre ? Il chercherait sa femme dans la pluie qui tombe en été, dans cette odeur d'eau enlunée sur les tuiles chaudes et dans celle des herbes coupées au printemps. Il la chercherait encore et encore, et il se perdrait en la cherchant…

Et quand bien même l'aurait-il eue en face de lui, que lui aurait-il dit ? Combien il l'aimait et combien il la haïssait d'être partie ?

« Voilà tout ce que j'ai, pensa-t-il, une vieille folle qui croit pouvoir me sauver et un lit glacé dans une nuit de décembre. »

Il se demanda s'il n'allait pas brûler ses dernières affaires, puis s'en aller marcher loin, là-bas, dans la poudreuse et dans le noir, jusqu'à mourir de froid. La neige tomberait sur son cadavre. Rien de plus. Juste la neige très lente, au milieu de la rue, sur son corps.

Plus tard dans la nuit, il constata sans émotion son impossibilité à mettre le feu à son appartement : Sarah et ses amis avaient tout emporté, même les briquets.

TROIS JOURS AVANT L'ENTERREMENT

La pêche miraculeuse

Le cinquième matin sentait les feuilles mortes et la moelle des branches cassées en deux par le gel. Le Docteur découvrit Sarah scintillant dans un fourreau de soie noire, sa longue chevelure ramenée en un chignon épais et volumineux. Bruns le premier jour, châtains puis auburn les jours suivants, ses cheveux étaient maintenant comme le sable sombre des bords de plage qui, touché par l'écume, devient très mat.

— Pas mal du tout, la cravate, fit-elle en le voyant. Votre smoking fera tourner des têtes.

— Seulement parce que je vous aurai à mon bras.

— Flatteur ! On vous prendra pour mon gigolo.

— Ne vous sous-estimez pas.

— À mon âge, on a moins de mésestime que de lucidité, Teddy Bear.

— … dit celle qui pense encore pouvoir me sauver !

La vieille dame afficha soudain un rictus douloureux, elle se ratatina vers l'avant, puis attrapa deux petits cachets qu'elle engloutit comme des bonbons.

— Du Calmémé 40, expliqua-t-elle. Pour mes nerfs. À cause de vous, j'ai dû doubler ma dose habituelle.

Il haussa les épaules, l'air de dire qu'il n'y était pour rien ou qu'il s'en fichait. Elle reboucha le tube de comprimés en produisant un « pop ! » sonore qui parut lui apporter beaucoup de plaisir. Elle le rouvrit et le referma plusieurs fois, son sourire s'élargissant de plus en plus.

— Que disent vos autres clients quand ils vous voient habillée ainsi ? C'est très chic.

Il avait dit « très » comme il aurait dit « trop ».

— Je ne saurais pas vous le dire, vous êtes le seul, mon p'tit.

— Méfiez-vous, je paie très mal.

— Un sourire me suffira.

Ils entrèrent dans le taxi, elle démarra.

— Comment s'est passé votre après-midi hier ? demanda-t-il par politesse.

— Nous sommes allés nous goinfrer de pop-corn au fromage à la marina, puis mon fils m'a appris à pêcher. J'ai immédiatement détesté ça, dit-elle très en colère. Je n'imaginais pas qu'on y tue des poissons ! Pauvres bêtes ! Jetés sur le côté, le corps tout lisse, ils ouvraient puis fermaient la gueule… Cela m'a rendue malade. Aussi (elle agita une poêle imaginaire avec la main), après les avoir tous frits, nous avons eu cette clémence-là de tous les relâcher à la mer.

Elle marqua une pause, puis s'esclaffa en pointant du doigt le crâne chauve du Docteur :

— Comme avec vous !

Le piège

Quand la voiture fit le tour de l'église, le Docteur put voir qu'une foule de gens en habits de deuil était massée sur le parvis. Beaucoup pleuraient, d'autres consolaient. Au sol et partout, des gerbes de fleurs. Le médecin sentit aussitôt une boule se former dans sa gorge et, croisant les bras sur son torse, il attrapa ses coudes et les serra à s'en faire saillir la jointure blanche des doigts.

— Bien, bien, ânonna Sarah, la cérémonie n'a pas commencé, nous sommes même un peu en avance.

Le médecin eut nettement l'impression qu'elle se trompait, qu'ils n'étaient à l'heure de rien du tout, au rendez-vous de personne, mais elle avait l'air si fragile qu'il préféra se taire. Inexplicablement, à cet instant, il ne voulait pas qu'elle soit malheureuse.

Sarah eut moins d'états d'âme. Surprenant son regard interrogateur, elle lui adressa une œillade.

— À quand votre dernier enterrement remonte-t-il, Teddy Bear ?

— Ce n'est pas un spectacle, Sarah. Il y a des gens qui souffrent ici, fit-il sèchement, et son ventre se tordit brusquement sous le coup d'une émotion extrême.

Elle poussa un petit cri de soulagement en trouvant une place où garer la voiture.

— On ne va pas aller là-bas ?!?!

— Vous ne pensiez pas qu'on resterait à l'écart, mon petit ? Et fagotés comme ça, en plus ?

— Mais nous ne connaissons pas le défunt !

— Parlez pour vous ! Je le connais très bien : c'était un grand ami.

— Alors je vous attendrai dans le taxi.

Elle rangea ses clefs au fond de son sac, puis l'assura qu'elle aimait beaucoup la personne qui allait être mise en terre aujourd'hui.

— Je vais pleurer. J'ai besoin de votre bras et de votre épaule. Pouvez-vous faire cela pour moi ?

— Un grand ami, vraiment ?

— Puisque je vous le dis.

Il la fixa et la sentit authentiquement triste. Il hésita, mais, devant son regard implorant et inquiet, il déboucla sa ceinture en râlant. C'était une vraie torture pour lui, d'être là. Dehors, un froid glacial lui mordit le crâne et, plus particulièrement, l'espace blanc laissé vide derrière les oreilles. Sarah évacua d'une pichenette une poussière imaginaire posée sur le smoking du Docteur, puis glissa son bras sous le sien d'un air satisfait et rassuré en le remerciant mille fois d'accepter de l'aider à affronter cette épreuve ; ils pénétrèrent dans l'église.

Quelque chose tracassa le Docteur et, n'arrivant pas à mettre le doigt dessus, son agacement redoubla. « Je me suis fait avoir, pensa-t-il, elle ne connaît pas le mort. Ça va mal tourner. » Ses yeux s'arrêtèrent un instant sur les banderoles entourant les fleurs, puis remontèrent vers le centre de la nef, où ils accrochèrent le cercueil. Son sang se figea, il trébucha. La vieille Sarah sentit son trouble, resserra son étreinte de peur qu'il ne recule.

Il chuchota à son oreille en tremblant de la tête aux pieds :

— Votre grand ami était petit ?

Elle fit signe que oui.

— Quelle taille ?

— Environ neuf ans.

La vallée de la lamentation

Contrairement à ce qu'elle avait annoncé, Sarah n'avait pas pleuré durant la cérémonie. Bien sûr, un bref instant, le Docteur vit ses yeux devenir humides, mais elle réussit à se contenir.

Après l'encensement de la dépouille, elle insista pour aller saluer la famille : une femme qui portait des lunettes de soleil opaques, et un homme au visage hagard, à l'expression hélas trop évidente.

— Je préfère vous attendre sur le côté, prévint le Docteur.

— Comme vous voulez.

Le Docteur ne l'avait jamais vue aussi affaissée. Alors qu'elle remontait vers la sacristie et arrivait à quelques pas du couple en deuil, la mère de l'enfant enleva ses lunettes, alla derechef à sa rencontre et lui tomba dans les bras en chancelant. Sarah tint bon. Elles chuchotèrent longtemps, hochant la tête, puis se reprenant dans les bras.

Le regard du médecin courut de la bière à la croix, puis de la croix à la bière, avant de s'échouer sur le père effondré dans un coin. Ses proches venaient lui serrer la main pour lui témoigner plus ou moins ostensiblement la part qu'ils prenaient à son malheur.

Le Docteur observait en retrait, debout près des bénitiers, quand Sarah le chercha des yeux parmi la foule. Il lui fit signe qu'il avait envie de partir. Elle se redressa, l'air auguste, allongea un long bras très maigre, étendit tous les petits os craquants de la main et le pointa du doigt. Ses lèvres articulèrent distinctement la phrase suivante : « Regardez cet homme là-bas », puis d'autres mots incompréhensibles. Aussitôt, la mère rabattit ses prunelles sur lui, deux charbons ardents appliqués directement sur sa peau.

« Sarah… Merde, jura-t-il dans sa tête, merde, putain, qu'est-ce que vous foutez, Sarah… »

Les gens se turent, le dévisagèrent, l'espace se vida tout autour de lui comme s'il sentait le sanglier mort.

Et le doigt de la vieille dame, solennel, irrévocable, continuait de l'accuser.

« Qui est cet homme ? chuchota-t-on dans son dos. Il a fait quoi ? Pourquoi est-ce qu'elle le désigne comme ça ? Vous avez vu sa dégaine ? Et ce crâne tout blanc ? »

Oppressé par leurs messes basses, il tourna les talons et s'enfuit précipitamment, gagnant l'extérieur pour y respirer l'oxygène qui semblait avoir subitement déserté ses poumons. Son reflet se projeta sur le miroir d'une voiture. Il était blanc comme un linge et la peau se resserrait autour de son squelette avec la force d'un étau.

Il vomit tout : son petit déjeuner, sa femme et Sarah. Il en avait plein les chaussures.

Il s'essuyait la bouche quand une main se posa sur son épaule.

— Saint Christophe, vous devriez voir votre tête, Teddy Bear ! Vous êtes pâle comme une nonne et vous avez les lèvres comme de la cervelle de veau.

L'envie de la gifler enfla comme une bulle de savon. Celle de se recroqueviller au sol pour y enfoncer son corps jusqu'à complète dissolution de sa substance aussi. Ne sachant quelle attitude adopter, il la repoussa contre un capot, la secouant violemment par les épaules.

— Vous aimez ça ? hurla-t-il. Attraper au hasard un mec paumé, puis lui en faire voir de toutes les couleurs, ça vous fait prendre votre pied ?

Il la traita de sale perverse, disant que sous ses robes de soirée, derrière ses clopes et ses manies idiotes se cachait une sadique de la pire espèce.

Les vieilles lèvres de Sarah frémirent à chaque mot, elle s'adossa à la voiture, vaincue. Le Docteur fixa ses immenses yeux bleus en tentant de les lui faire baisser.

— … Un monstre, Sarah, vous êtes un putain de monstre !

— Je… je suis désolée, je…

— Vous quoi ?

Elle se redressa et murmura d'une voix faible :

— Venez avec moi, mon petit. Il est temps pour nous d'avoir une discussion de fond.

Elle l'entraîna loin des obsèques et du corps de l'enfant, un peu plus près de cette petite chose laide : la vérité.

— Il s'appelait Henry, dit-elle une fois bien au chaud dans la voiture. Il aurait eu dix ans dans un peu moins d'une semaine.

— Le jour où je vais… ?

Elle hocha la tête. Le Docteur avait pris le temps de se calmer et se sentait maintenant comme un boxeur après un combat particulièrement rude. Il transpirait à grosses gouttes et, alors même qu'il venait de vomir, il se sentait affamé.

— C'est un étrange hasard, vous ne trouvez pas ?

Résolument silencieux, il fuyait son regard, tournant le sien face au paysage gris et immobile. Sarah n'avait pas l'air de vouloir démarrer.

— Il est mort d'une maladie du sang, développa-t-elle. Il disait toujours : « Non, je ne suis pas malade, oui, j'ai une maladie. » C'est différent, vous comprenez ? Différent. Vous l'auriez adoré, ce gamin. Il n'était pas comme les autres enfants de son âge : il n'aimait pas les voitures par exemple, et il détestait le base-ball ou les dinosaures. En revanche, il se passionnait pour la généalogie. C'est une lubie inhabituelle chez un enfant de dix ans. Un jour, il m'a montré l'arbre généalogique qu'il avait dressé patiemment pendant ses longues heures d'hospitalisation, il était si fier de lui en dévoilant son œuvre. Savez-vous ce qu'il m'a affirmé avoir découvert ?

Un coup d'œil en coin lui confirma que Sarah se mordait convulsivement la lèvre supérieure.

— Il jurait détenir la preuve que sa famille descendait en droite ligne d'Adam et Ève.

La main de la vieille dame sembla agitée d'un tic nerveux, elle recommença à fourrager dans le cendrier. Comme le premier jour, il trouva ça dégoûtant.

— Bien sûr, vous ne pouvez pas savoir, vous, ce que c'est d'être un enfant malade, passer sa vie à l'hôpital et se dire qu'on peut mourir quand les autres vont vivre... Sinon, vous n'auriez pas envie de vous tuer...

— Vous ne savez rien de ma vie, Sarah. Quand j'étais enfant, j'ai été malade et j'ai passé neuf ans à... Oh et merde ! Ça ne vous regarde pas !

Un silence lourd s'installa dans l'habitacle.

Une minute s'écoula ainsi, puis la vieille dame parla de façon presque inaudible :

— C'est une chose idiote, n'est-ce pas, Teddy Bear ?

— De quoi parlez-vous, Sarah ?

— La mort.

Elle s'emporta brusquement et tapa plusieurs fois du poing contre la fenêtre en gémissant.

— Non, non et non, ce n'est pas juste, ce-n'est-pas-juste ! hacha-t-elle avec difficulté. Oh mon Dieu ! Oh mon sacré de putain de bordel de bon Dieu !

La cendre volait dans l'habitacle. Pris de court, le Docteur sentit son cœur tendre vers elle, voulut la consoler et, finalement, ne fit rien : il pensait que le Dieu dont elle parlait n'était pas un Dieu de miséricorde, que c'était dur, mais que c'était comme ça, et que le monde entier devait le savoir. Il pensait qu'il n'en avait rien à faire de la tristesse de cette vieille dame, de cette inconnue qui le poursuivait depuis quatre jours maintenant, et qui ne le laissait plus en paix.

De petits sanglots ridicules sortaient de sa gorge, ses doigts repliés allaient et venaient contre sa bouche.

— Tout à l'heure, je suis allée voir cette mère dans cette église et je lui ai raconté comment dans trois jours exactement vous collerez un pistolet sur votre tempe et ferez exploser votre joli petit crâne chauve. Elle sait tout.

— Pourquoi ?

— Je vous l'ai dit hier : nous sommes venus ici contracter une dette.

— En assistant à l'enterrement d'Henry ?

— En le saluant, le corrigea-t-elle. Ne vous privez pas de cette chance immense qui lui a été refusée. Vous étiez à ses obsèques, sa mère vous a vu, son père vous a vu, tout le monde vous a vu. Dès cet instant, votre mort ne vous appartient plus et votre suicide cesse d'être légitime, ce sera quelque chose d'indigne, ce sera… Un crime !

Elle démarra en trombe, il n'avait pas eu le temps de lui répondre ni de mettre sa ceinture de sécurité.

Tout cela lui parut incroyablement dangereux.

Un souvenir de l'amour et de la roue

Quand il essayait de remonter le long enchaînement des froideurs quotidiennes amenant un homme vers cette impasse définitive qui consiste à prendre une arme et à se coller dans le crâne une petite bille métallique, il pensait à sa femme, bien sûr, à la morsure permanente de l'absence. Le Docteur ne se souvenait pas d'un de ses patients, M. Sept, tentatives de suicide à répétition, qu'il avait soigné pendant ses études.

Nous sommes bien des années plus tôt, le jeune médecin vient de rencontrer sa future femme. Il est heureux. Immensément.

Chambre 7 :

— Tu sais, gamin, y a rien de bien extraordinaire dans le fait d'se tuer…

— Ce n'est pas une raison pour en faire une habitude, monsieur.

Haussement d'épaules.

— J'veux me buter sévèrement tous les matins, dit M. Sept en riant jaune après qu'on lui a fait les lavages d'estomac et qu'il régurgite charbon noir, alcool et pilules roses. J'ai assez de flouze de côté pour arrêter de

bosser et vivre confortablement jusqu'à la fin de mes jours... Oui, gamin ! En supposant que je meure après-demain, j'ai tout ce qui faut !

Le bonhomme a les yeux caves et désespérés.

— Tu sais, gamin, t'es jeune, tu n'peux pas savoir. Mais c'est pas si compliqué de s'éteindre de l'intérieur. Se lever le matin, lire les mêmes ingrédients sur les mêmes paquets de céréales, faire le même trajet, travailler avec les mêmes putains de gens...

L'homme parle, parle, et parle encore, et le jeune Docteur pense que c'est des conneries, que la vie est trop belle, que le monde est vaste et riche de possibilités inédites. Il a des oiseaux dans la tête.

— ... Faire les mêmes putains de pauses cigarette avec les mêmes putains de personnes en parlant des mêmes putains de choses : la pluie, la tante malade, le gouvernement incapable, le week-end... Sortir du travail à la nuit tombée, faire la queue au distributeur d'essence, faire la queue à la poste, faire la queue au magasin d'alimentation, rentrer par le même trajet que le matin, dîner en discutant de machin et machin... Et je te parle même pas de la vie sexuelle ! Elle, elle achève tout, elle motive définitivement... Maintenant, gamin, j'ai vraiment envie de pisser.

— Bougez pas, je vous apporte un pistolet, répond le jeune Docteur en parlant du récipient dans lequel les patients peuvent uriner sans bouger du lit.

M. Sept se redresse. Son haleine pue la mauvaise vodka. Il est inquiet tout à coup.

— Ah mais non, non, non ! C'était juste une tentative, je voulais pas vraiment mourir, tu sais ?

M. Sept mourra trois mois plus tard, devant un distributeur de billets, fauché par un chauffard ivre. Le jeune Docteur imaginera que le chauffard buvait parce que son propre fils était décédé fauché par un autre chauffard ivre, qui lui-même buvait parce qu'il ne se sentait plus aimé de sa femme, et ainsi de suite, dans une longue succession de morts inutiles et malheureuses remontant à l'invention de l'amour, du whisky et de la roue.

À l'époque, le jeune Docteur essaie de voir le bon en chaque être humain.

Quand il ne le voit pas, il cherche une excuse.

L'épreuve de vérité

Ils roulèrent un long moment, puis elle actionna le clignotant et se gara sur le bas-côté, l'air résolu.

— Pourquoi s'arrête-t-on ? demanda-t-il en la suivant dehors.

Elle s'appuya dos à la voiture et le regarda bizarrement.

— Criez.

— Pardon ?

— Votre femme est partie et elle vous manque au point que vous voulez mourir ? Vérifions ce qu'il en est exactement.

Elle l'orienta vers le côté de la route, face à un grand terrain vague.

— Considérez le paysage responsable du départ de votre épouse et criez-lui dessus de toutes vos forces. Vous verrez, on se sent mieux après.

— Après avoir hurlé dans le vide ? dit-il rétif.

— Essayez, vous serez étonné du résultat.

— Vous criez, vous, parfois ?

— Bien sûr, mais à mon âge le son ne porte plus très loin : la voix chevrote.

Il gagna un petit monticule de terre situé à quelques mètres de la voiture.

— Là ?

— Peu importe, hurlez ! Le regret engendré par son départ a formé en vous un poisson triste, dit-elle d'un ton professoral. Une truite aigrie et maussade. Expulsez-la !

— Combien de secondes ?

— Le temps nécessaire.

— Si cela ne fonctionne pas ?

— Cela fonctionne toujours. Tante numéro 16, Victoria, enfermait ses émotions dans des bocaux. Quand elle était en colère, elle crachait sa bile dans un pot de confiture vide. Pfffff, envolée, la colère ! Quand elle était triste, elle enfermait ses larmes... De toute sa vie, elle n'a gardé que le bon, le beau et le tendre. Je l'ai toujours connue riante et légère. Un peu idiote, certes, mais que des bonnes choses par ailleurs ! Elle est morte le jour du grand tremblement de terre de Chicago. L'armoire dans sa chambre est tombée, les bocaux se sont brisés. Elle a hurlé, grogné et pleuré quatre jours d'affilée. Toutes ces émotions libérées ensemble, c'était mauvais pour le cœur... conclut Sarah en faisant mine de souffler une bougie.

Le Docteur avait l'impression d'être un bébé dont on attend le rot.

— Ce sera inutile, objecta-t-il. Je crierai, j'aurai l'air d'un idiot, mais ce sera inutile.

Elle haussa les épaules.

— Avoir l'air d'un idiot, vous l'avez déjà fait. Crier, ça, c'est inédit. Et n'oubliez pas que cette semaine vous m'appartenez.

— Avez-vous un diplôme universitaire pour pratiquer ce type de médecine-là ?

— Dénoncez-moi au Conseil de l'ordre si ça vous chante, mais criez.

Il se racla la gorge et lâcha ce qui ressemblait à un vagissement de lamantin albinos. Elle secoua la tête, déçue.

— On ne sait pas si vous bramez, mugissez, ou si vous allez vous transformer en un abominable monstre vert. Je ne veux pas un marcassin ou un ténor, je veux ce que vous avez là-dedans.

Elle désigna son cœur, puis ouvrit la main à hauteur de ses tripes comme pour y fouiller quelque chose.

— Votre truite, je veux votre truite ! Elle est noire, elle est sale et je la veux !

Il se tenait ridiculement droit, incapable de rien, l'air débile et indécis. Au loin, des lignes brutes de soleil transperçaient la brume.

— Mais crachez-la, bon sang, crachez-la ! Ce que vous êtes empoté, ma parole !

Tout à coup, elle plaça sa tête sur le côté, prêtant l'oreille à quelques voix invisibles, puis s'adressa au vide autour d'eux :

— Tu vois bien qu'il n'arrivera pas à cracher le morceau de poisson sans un peu d'aide ! Je devrais le pousser et tu sais combien je n'aime pas ça…

Elle montra l'horizon.

— Regardez, Teddy Bear : on voit votre femme s'en aller. Dépêchez-vous, elle est loin, vous risquez de la rater.

Elle avait balancé ça avec détachement. Il lui jeta un œil noir. Sans se démonter, elle en rajouta une couche.

— Voilà, c'est trop tard ! Inutile de la chercher, Mark, elle est partie. Elle a emmené avec elle deux petites valises en cuir noir, pas plus grandes que ça (elle écarta les doigts de quelques centimètres).

Ils s'affrontèrent du regard. Elle lutta, il lutta. Aucun d'eux ne lâcha un pouce de terrain. Il pensa à sa femme. Il trouva le monde affreux et petit. Il ferma les yeux pour ne plus le voir, mais, quand il les rouvrit, le monde était encore le même, alors il cria.

Un gémissement à glacer le sang qui en fit choir la cigarette coincée entre les lèvres de la vieille dame. Il hurla à s'en rompre les cordes vocales, comme s'il eût pu, d'une seule plainte formidable et épique, repousser le vent, les nuages et la pluie. C'était un acte de guerre, contre le Dieu injuste, contre cette fin du monde qu'était la mort d'une femme aimée, un acte désespéré de colère primale. *Il devait détruire quelque chose en lui.*

— Saint Christophe, il va fondre sur moi et me frapper ! fit la vieille Sarah en se réfugiant derrière la voiture. Tu vois ! Je l'ai poussé, je suis allée trop loin, il n'était pas prêt et maintenant il va me frapper !

Se jetant violemment contre le sol, le Docteur frappa la terre durcie de ses poings. Il tapa encore et encore, arrachant avec les ongles des mottes d'herbe endormies sous la neige, propulsant le fruit de sa fureur autour de lui en poussant des geignements de chien battu.

Rassurée d'échapper à son courroux, Sarah recouvra son flegme et sortit son étui à cigarettes. Elle dégusta chaque bouffée avec délectation, témoignant à l'égard de l'homme brisé en deux de tristesse une indifférence qu'on sentait fragile comme un masque de porcelaine : « Alors voilà, nous y sommes vraiment. La neige, la terre dessous et la mort dedans. Voilà, voilà… »

Il s'essouffla, essaya de se relever et finalement retomba à genoux, terrassé.

— Regarde-le : incapable de laisser couler ses larmes. Pas à dire, il est en colère, le pauvre gosse ! Il en briserait des rambardes de pont en deux ! Sûr de sûr, regarde-le !

Recroquevillé, il balançait son corps d'avant en arrière.

D'une pichenette, Sarah envoya valser par-dessus son épaule la cigarette à peine entamée, fit trois petits pas de chat, puis s'approcha :

— Bien, bien, bien… Il ne pleurera pas. Allons ! Consolons-le puisque nous le plaignons !

Et elle s'adressa enfin à lui :

— Pour un homme qui se prétend éteint et vide, je vous trouve sacrément empli de cris. Des cris, des cris, des cris. Sacrément, oui ! Quelle usine ! On en gonflerait des milliers de ballons.

Comme le premier jour, elle posa son tapis de sol et, après avoir remonté sa robe de paillettes noire au-dessus des mollets, s'accroupit tant bien que mal près du Docteur. Quand elle fut sûre de ne pas tomber à la renverse, elle fit danser ses doigts sur le crâne du médecin en massant l'os :

— Je suis là, mon petit, je suis là.

Un instant, il se sentit redevenir l'enfant malade, celui qui avait peur du noir et qui se demandait si son cœur fragile pouvait s'arrêter de battre d'un seul coup, sans prévenir, pendant la nuit.

La vieille se mit à fredonner une forme de berceuse espagnole, qu'entrecoupait un colloque singulier avec l'Invisible.

— Tu l'as entendu ? chuchota-t-elle au vent, à l'herbe et au ciel, seul l'anéantissement peut faire crier un homme comme il a crié. On va le laisser cracher le morceau de poisson. Quand il ira mieux, on l'aidera à se relever. Ouaip, ce sera drôlement sympa de le remettre sur pied !

À la fin, elle l'attrapa par la nuque et colla son vieux front plissé contre le sien, à deux doigts de l'embrasser sur la bouche :

— J'en déduis que votre femme n'est pas vraiment partie. Enfin, pas au sens où nous l'entendons d'ordinaire.

Il leva des yeux gonflés par la rage et les planta droit dans les prunelles bleues de Sarah. Quelques centimètres séparaient leurs lèvres. Sa vieille haleine sentait le tabac et les épices. Sa vieille haleine sentait bon.

— Que lui est-il arrivé ? Dites-le.

— Je-ne-peux-pas.

— Bien sûr que si.

— C'est trop dur !

Il articulait chaque syllabe avec difficulté : les larmes qui n'arrivaient pas à couler sur ses joues étaient dans sa voix et dans sa gorge, avec de la morve, aussi, trop.

— Dites-le, mon petit !

Elle devina qu'il n'y parviendrait pas et passa ses bras autour de son cou.

— Je le ferai pour vous dans ce cas.

Il hocha la tête et Sarah lui prononça à l'oreille ces trois mots qui ne revêtaient aucune réalité acceptable :

— Elle est morte.

Il aurait voulu se boucher les oreilles et ne plus rien ressentir, mais non, il avait tout entendu. Cela résonnait encore et encore dans sa tête, comme un écho macabre dans une cathédrale noire et déserte : « Elle est morte, elle est morte, morte… morte… morte… »

Sarah se releva en poussant un juron et lui tendit une main secourable.

— Partons d'ici trouver de quoi vous changer. Vous avez bousillé votre costume, petit sagouin !

La voix du Docteur était lente et coupée de silences. Il reniflait parfois, mais toujours discrètement. Sarah, elle, conduisait en l'écoutant attentivement.

Il y a deux ans, sa femme avait débarqué toute nue dans leur chambre et l'avait réveillé en sautant de joie sur le lit. Puis elle s'était blottie contre lui et avait dit le mot « bleu », comme la couleur du test de grossesse. Elle voulait un petit garçon. Ils n'étaient pas d'accord sur le prénom, mais ils s'en fichaient : ils entendaient déjà le bruit de ses petits pieds courant sur le parquet de leur appartement.

— Très vite, Ana s'est plainte d'une immense fatigue et de violentes douleurs dans les reins. Je n'y ai pas prêté attention, je me disais que c'était normal, que c'était sa première grossesse. Je jonglais entre mon travail et l'arrivée du bébé, j'étais fou de bonheur, je n'ai pas vu qu'elle…

Il s'arrêta, incapable d'aller plus loin. Sarah lui offrit une seconde de répit en montrant le volant, ses mains occupées, puis son briquet.

— Vous voulez bien, mon petit ?

Il lui posa directement la cigarette sur les lèvres et l'alluma.

— Je pourrais le faire moi-même, mais je culpabilise moins comme ça, dit-elle. Continuez votre histoire.

Il avala sa salive et réussit à parler d'un ton posé : sa femme était enceinte de sept mois quand l'incident s'était produit.

— Je repeignais la future chambre en blanc quand j'ai entendu un grand fracas dans la salle de bains.

Sa femme avait eu un malaise et s'était violemment cogné le crâne en tombant. Les secours l'avaient transportée d'urgence à la maternité. Ce furent les heures les plus éprouvantes de la vie du Docteur, seul dans la salle d'attente, imaginant le pire, alors que le pire les avait déjà rattrapés depuis longtemps sans qu'il le sache. Dans la nuit, le chirurgien de garde s'était tenu face à lui, l'avait fixé un long moment.

— C'est un truc qu'on nous apprend à la faculté de médecine, ça s'appelle « le silence psychiatrique ». Censé préparer le terrain.

Le chirurgien lui avait expliqué que l'enfant n'avait pas survécu.

— Ensuite, Sarah, il aurait pu dire qu'il ne savait pas pourquoi une telle injustice nous tombait dessus, qu'il était désolé, que ces choses-là arrivent et que c'est terrible. Mais non.

L'opération avait révélé une masse suspecte que la grossesse avait cachée jusqu'à présent. Le Docteur avait veillé son épouse toute la nuit. Au matin, il n'avait pas eu besoin de lui dire quoi que ce soit, elle avait lu dans son regard et avait souri. Deux ans de combat, deux longues années de souffrance à espérer. Mais aucune victoire, non. Juste elle, partant peu à peu, s'étiolant tel un sapin de Noël après la fête.

La vieille Sarah continuait d'écouter, n'osant le toucher de peur de briser son élan et de tout gâcher. L'homme détailla tout et ne lui épargna rien. Comment le traitement avait tout arraché : d'abord ses cheveux, ses anglaises rousses dont elle était si fière, puis ses cils, ses sourcils et finalement tous les minuscules poils rouges de son corps. « Regarde ! disait-elle en riant à son mari, me voilà avec le corps d'une petite fille, je rajeunis ! »

Il savait bien, lui, qu'elle ne rajeunissait pas. Elle se fanait. Il la trouvait un peu plus affaiblie chaque jour, les dents un peu plus serrées face à la maladie. « Quand je serai partie, lui dit-elle à la fin, quand je ne serai plus là, jure-moi de ne pas céder au désespoir. » Le Docteur avait secoué la tête, il était désespéré depuis longtemps. « Promets-moi que si quelqu'un tend la main vers toi, tu la saisiras. Promets-le-moi ou je vais devenir folle avant de mourir. »

— J'ai promis et elle… et elle…

Encore une fois, le Docteur butait sur ce mot.

— Elle n'est pas devenue folle, l'aida Sarah avec délicatesse.

Six mois après la mort de sa femme, la vieille dame l'avait ramassé sous le figuier en disant : « Dans la vie, quand on vous tend une main, on la saisit sans poser de question. » À partir de cet instant, le Docteur n'avait pu faire autrement que de l'écouter et de la suivre aveuglément.

— Malgré moi et malgré vous.

— Surtout malgré moi, reconnut la vieille dame. Je suis quand même vraiment insupportable.

Silence.

Sans savoir pourquoi il faisait ça, il mit le pouce et l'index dans le cendrier et en tritura le contenu.

— Avouer à haute voix la mort de quelqu'un qu'on aime, c'est comme tuer la personne une seconde fois et, quand cette personne que vous aimez à en crever est morte à cause de votre négligence, vous répétez votre crime d'une intolérable manière.

— Les gens s'en vont, dit doucement Sarah, et sa voix avait la douceur du miel.

Elle mit aussi la main dans le cendrier et leurs doigts se touchèrent plusieurs fois, dansant au milieu des poussières noires.

— Ils naissent, s'agitent quelque temps et s'en vont. Vous, moi, le monde entier, personne n'y peut rien, mon petit.

Il cria :

— C'est ma faute. J'étais responsable d'elle, elle me faisait confiance et je l'ai perdue !

— Ne confondez pas les rôles : la maladie l'a tuée. Vous êtes une victime collatérale comme des milliers d'autres.

« Sarah n'a pas compris », pensa-t-il. Il manquait à cette immense usine du monde ce minuscule ressort qu'était la vie de sa femme. Le Docteur était le rouage inutile d'une grande machine cassée.

Le paysage défilait derrière la vitre : que les immeubles semblaient immenses ce matin-là ! Les nuages malmenés par le vent étaient obligés de traverser les bureaux.

— Le soir, je prends mon téléphone et je lui laisse des messages. Je lui parle de ce que je vois dans la rue, de vous, de cette semaine ensemble et de comment vous échouerez. Je lui parle comme si elle pouvait entendre. Parce que…

Il déglutit péniblement.

— Parce que si je ne lui parlais plus, elle cesserait d'exister.

Silence. Un parfum de cannelle traversa l'habitacle.

— Mon petit ?

— Oui, Sarah ?

— N'avez-vous jamais rêvé de tout quitter ? Disparaître. Changer de nom. Ne rien dire à personne, partir loin et tout recommencer ailleurs ?

— On emporte toujours ses problèmes dans nos bagages.

— N'en prenez pas. Mettez les mains dans vos poches, videz-les, remettez les mains dedans puis, en sifflotant un air de jazz, mimez quelques pas de danse et partez.

Sarah serra très fort la main de l'homme. Sa vieille peau était chaude contre la sienne et ses rides étaient comme les replis d'une âme très ancienne et très sage.

— J'ai envie de mourir, dit le Docteur.

— Ça m'a fait ça, une fois, j'avais prêté un stylo et on me l'a rendu tout mordillé au bout.

Il attrapa le bel indigo des yeux de Sarah et s'y cramponna tel un prisonnier à ses barreaux :

— S'il vous plaît, Sarah, ramenez-moi.

— Je m'y emploie, mon petit. Depuis cinq jours, je ne m'emploie qu'à cela.

La jeune fille à la robe rouge

Sans savoir vraiment pourquoi, le Docteur demanda à Sarah de l'emmener dans des musées. Elle ne se fit pas prier, mais elle voulut savoir pourquoi. Il se tut, incapable de lui donner une réponse, même s'il croyait déceler derrière cette demande comme une dernière volonté de se confronter à la beauté du monde.

D'ailleurs, il réussit même à s'extasier devant la majesté des dinosaures.

— Admirez ces os, fit-il avec amitié. Vous pouvez chercher : pas une trace d'arthrose !

Évidemment, il se lassa rapidement des vieux squelettes ; alors ils changèrent de lieu et troquèrent les vieux os blanchis pour l'art contemporain.

Le Docteur passait à la hâte d'une œuvre à une autre, Sarah sur les talons, s'arrêtant parfois sur certaines pour disserter, mais jamais plus d'une minute.

Il arriva un moment où, se retournant pour lui parler, le médecin la trouva figée devant un escalier de service surmonté d'une lampe rouge clignotante.

— C'est tellement beau, une sortie de secours, mon p'tit ! Tellement, tellement, tellement beau ! Sortie de secours ! *Salida de emergencia ! Notausgang ! Uscita di emergenza ! Nödutgång ! Wyjście awaryjne !* Tellement beau !

Elle applaudissait et avait l'air si heureuse que le Docteur lui sourit.

— Aujourd'hui, vous avez souri sept fois, constata-t-elle. Je le sais, parce que j'ai compté. Un rendement honorable compte tenu de votre personnalité exécrable.

Il était tout à fait d'accord, alors il sourit une huitième fois.

— Sublime ! C'est sublime ! déborda-t-elle ensuite face à la reproduction grandeur nature d'un poney multicolore. Dans la vie, il faut toujours être soi-même, mon p'tit. Sauf si vous pouvez être un poney magique. Dans ce cas, et seulement dans ce cas, soyez un poney magique.

L'intitulé indiquait : « La Mort en son domaine ».

Un des chefs-d'œuvre du lieu, d'après Sarah.

« Quand on se promène dans un musée d'art moderne, on se demande parfois si c'est de l'art ou de l'humour pour les riches. » Il avait parlé d'un ton convaincu que désavoua la réaction explosive de la vieille face au tableau suivant – un monochrome paradoxalement nommé « La Jeune Fille à la robe rouge », mais qui avait la même couleur bleue que les yeux de Sarah. Celle-ci se mit à verser des torrents de larmes.

— Un jour, l'homme qui a peint cette toile a rêvé d'un bleu très particulier. Il a consacré cinq ans de sa vie à le retrouver. Voyageant dans le monde entier, il a cueilli des plantes inconnues et les a broyées, découvrant des pigments de pays exotiques et sauvages, puis il a tout mélangé jusqu'à obtenir la teinte parfaite. Ce n'est pas un tableau, ce n'est pas du bleu, de l'indigo ou de l'émeraude : c'est l'histoire entière d'un homme…

Sarah fixait le panneau.

— Je me revois, j'ai vingt ans. Je suis devant l'immeuble où je rencontrerai Charles. Je tiens une valise en carton presque vide : un petit coq en plâtre peint et quelques habits, rien d'autre. C'est le plus clair matin du monde, il surgit comme un lait lumineux dans le thé noir que serait la nuit. Un pépiement. Des parfums grimpent le long des herbes humides jusqu'à moi. Au cinquième étage, un rideau s'écarte, Charles sort et pose un bol rempli d'eau et de pinceaux sur le balcon. Il se relève, pose les yeux sur moi. On se sourit.

La vieille tourna la tête à droite puis à gauche, et ne voyant personne elle s'approcha et déposa pudiquement un baiser sur la toile.

— Vous n'auriez pas dû m'emmener ici, Teddy Bear. Je vous en veux beaucoup.

— Pourquoi ?

— Parce que ce monochrome, c'est moi : j'ai vingt ans, je porte une robe rouge et je m'apprête à aimer comme je n'ai plus jamais aimé de ma vie.

L’énigme de l’homme qui marchait avec le soleil

Le Docteur lui demanda de le déposer en ville, parce qu’il voulait marcher avant de rentrer.

Elle l’avait serré très fort contre elle en le quittant. Il s’était laissé faire : le parfum de la vieille dame était vraiment délicieux.

Déambulant dans les rues, il se sentit progressivement envahi par une certaine lassitude à l’égard des gens, du bruit, de toute cette agitation qui naît de la vie. Pourquoi avait-il voulu rentrer à pied ?

Au détour d’une avenue, il reconnut au loin un ancien patient à l’allure assez banale dont il ne se souvenait même plus du prénom : Paul ou Patrick, quelque chose comme ça… Peut-être Peter… L’homme était accompagné d’une jeune femme blonde et il portait un bébé dans les bras.

Lorsqu’il était tombé malade, cet homme s’était retrouvé entre les mains du jeune Docteur et ça avait tout de suite collé entre eux. Aucune surprise, ils se ressemblaient beaucoup : la vingtaine, étudiant, amoureux (elle s’appelait Lise et avait les cheveux blonds), rieur, un peu fêtard. Le gars aimait les balades à vélo, les Oreo coupés en deux et les séries B. Pas vraiment un guerrier-né.

Le jeune médecin l'avait aidé à affronter toute une cohorte de petits crabes dont les pinces sales résonnaient de cliquetis inquiétants.

Pour Paul-Peter-Patrick et le tout jeune Docteur qui l'accompagnait, ce furent des jours bien sombres qu'annonça cette armée miniature. Elle frappa la première : droit dans les parties. Elle prit la bourse, et les résultats ne furent pas encourageants : dans quelque temps, elle emporterait la vie.

Le pauvre gamin n'avait pas eu le choix. Il avait dû ranger ses livres de cours, annuler ses sorties et recruter des mercenaires en blouse blanche.

Un jour, devant le jeune Docteur, il s'était exclamé :

— Mais ce n'est qu'une paire de couilles, après tout ! Qu'est-ce que ça peut bien leur foutre ?

— Tu vas mourir, lui avait répondu le jeune Docteur. Mais vieux. Et tu auras fait des bébés à Lise. Même que t'auras vingt petits-enfants très turbulents. Même que tu pourras leur dire : « Les enfants ! Arrêtez de me les briser ! » Oui, même que tu pourras leur dire ça.

Les matins succédèrent aux matins, les triomphes aux défaites. Le jeune homme, devenu grand soldat, avait maigri, s'était endurci le cuir, jusqu'à ce jour radieux où, ensemble, le jeune Docteur et Paul-Peter-Patrick avaient arraché la victoire finale, un drapeau rond et lumineux.

Rémission. Vie.

Maintenant, sous le regard étonné du Docteur-qui-avait-oublié-comment-soigner, son ancien patient se promenait incognito : la foule ignorait le guerrier magnifique qui marchait parmi elle.

L'homme pénétra avec sa femme et leur bébé dans un grand magasin, le Docteur les suivit discrètement. Il ne savait pas pourquoi il faisait cela, c'était inconvenant et bizarre, mais c'était plus fort que lui.

La petite famille prit un escalator qui montait jusqu'au toit de l'immeuble. Quand ils débouchèrent à l'air libre, la lumière du jour les frappa de plein fouet et de larges sourires apparurent sur leurs visages. Ils ne mirent pas leurs mains en visière, n'essayèrent pas d'occulter ces rayons qui leur pétaient au visage comme des feux d'artifice.

La femme se tourna vers Paul-Peter-Patrick, caressa la tête de l'enfant et le Docteur l'entendit dire :

— Tu veux que je le porte un peu, Philippe ?

Philippe refusa et ils partirent sans un mot sur la route inondée de jaune. Le soleil brillait haut, et Philippe marchait avec lui.

Le médecin avisa un banc, puis s'effondra : dans deux jours, il se tuerait. Oui, dans deux jours exactement, le soir de Noël, il se tuerait.

DEUX JOURS AVANT L'ENTERREMENT

La légende de Mārkandeya

Ce matin-là, les cheveux de Sarah étaient blond cendré, sa mine maussade, son teint blême.

— Simple gueule de bois, rassura-t-elle le Docteur en passant la main sur son ventre, trop de mojito hier. Ça m'apprendra.

— Vous étiez saoule ?

— Je suis une lady, Teddy Bear. Grisée, oui. Saoule, non. J'ai toujours voulu m'enivrer avec mes enfants au moins une fois dans ma vie. Je tiens moins que ma fille, c'est avéré. Elle boit comme tante Claudia. Sacrée Claudia ! Avant elle, le tonneau des Danaïdes avait un fond !

Ses yeux se fermèrent, son front dodelina sur le côté et la voiture fit une petite embardée.

— … a tellement bu dans sa vie, je me souviens d'une infirmière de l'hôpital disant : « Ce ne sont pas des prises de sang qu'on lui fait, à votre tante, ce sont des vendanges »…

Elle pouffa de rire.

— Racontez-moi une histoire, mon p'tit. (Elle se frappa le front, comme touchée par une idée géniale.)

Tenez ! Racontez-moi celle que votre grand-père vous racontait pour vous endormir le soir, par exemple. Nous en avons tous une…

— Vous parlez de celle du vieux pistolet ? demanda le Docteur, qui pensait que la vieille dame n'avait pas baissé les bras et espérait toujours avoir le fin mot de l'histoire.

— Non, celle qu'il vous racontait quand vous étiez petit et que vous faisiez des cauchemars…

L'homme s'agita sur son siège. Il y avait bien une histoire, oui. Il n'en avait jamais vraiment compris le sens, et il se demanda si Sarah ne pourrait pas l'aider.

— Grand-père s'asseyait à côté de mon lit et me parlait du vieux Mārkandeya, le dernier homme en vie après la destruction du monde. Mārkandeya le Triste – ce sera son nom – déambulera parmi les cités mortes des Hommes. Il ira sous la pluie tiède, à travers les vents froids, seul, incapable de s'arrêter, et les jours succéderont aux jours sans qu'il trouve de repos. Un soir brumeux semblable à tous les autres, un arbre au feuillage touffu et vert surgira devant lui. Un enfant se balancera mollement aux branches, une grive silencieuse sur l'épaule, la poitrine peinte en bleu. « Mārkandeya le Triste, tu as tellement marché ! criera le gamin. Tu as peur, tu es fatigué et les Hommes te manquent. Regarde-moi ! Regarde comme je suis joyeux ! » Aussitôt, un vent fantastique soufflera, le soulevant dans les airs telle une brindille insignifiante, et le fera passer entre les lèvres riantes de l'enfant. Tombé dans le ventre du gamin, il verra les Hommes ressurgir de terre, refaire des jardins et des champs, bâtir des villes inouïes qui surpasseraient en magnificence toutes les villes passées. Il contemplera l'océan, les étoiles, l'univers tout entier tournoyer dans le seul estomac de l'enfant. Il verra la vie aller et venir, puis s'épuiser à en mourir, jusqu'à ce que les Hommes détruisent encore tout, et qu'il soit lui, Mārkandeya, seul au milieu des nouvelles ruines. Alors le vent fantastique se lèvera de nouveau, tourbillonnera autour de ses jambes et l'emportera loin, là-haut, par la poitrine bleue et par les lèvres immenses, jusque devant l'arbre où le gamin au ventre bleu rira très fort : « Tu as compris ? lui dirait-il. Alors tu ne seras plus jamais triste et tu t'appelleras Mārkandeya le Joyeux !… »

Sarah l'interrompit plusieurs fois pour cracher ses poumons, et le Docteur crut qu'elle les enverrait dans le décor à force de tousser.

— J'aimais ce conte autrefois, dit-il en guise de conclusion et avec une pointe de nostalgie.

— Alors pourquoi n'en avoir retenu aucune leçon ? Il parle de la vie et du courage qu'il faut pour s'y aventurer.

Elle approcha la main de son crâne blafard et lissa de la paume un épi de cheveux imaginaire.

— Vous avez une touffe qui dépasse, mon petit.

— N'importe quoi !

— Je le sais, gros bêta, mais ils repousseront, alors je prends de l'avance.

— Ils ne repousseront pas, Sarah.

— Si. Même qu'un jour ils seront longs et blancs.

Il se laissa faire parce qu'il s'en fichait d'être traité comme un enfant. Peut-être qu'il aimait un peu ça, être l'enfant de quelqu'un.

L'école des sages

— Que va-t-on faire à l'université ? demanda le Docteur alors que le taxi approchait du campus.

— Que peut-on bien aller faire à la faculté, se moqua-t-elle en collant son poing droit sur la hanche. Apprendre, Teddy Bear, apprendre ! Je connais un moyen pour accéder à l'amphithéâtre avant le début du cours, nous aurons des places de choix.

Il montra la zibeline blanche et demanda :

— Belle imitation, n'est-ce pas ?

— Cadeau de mon fils, confirma-t-elle. Il voulait fêter Noël en avance. J'ai des enfants très attentionnés. J'espère que vous gâterez votre maman avant de mettre fin à vos jours.

Il regarda Sarah : si sa mère était vivante quelque part, elle aurait le même âge qu'elle.

— Je vous ai dit que je ne voulais pas parler d'elle. Elle a disparu après m'avoir jeté au monde.

— Ce n'est pas plus mal, elle aurait trop souffert de voir son enfant mourir si jeune.

— Je me confie et vous… vous… balbutia-t-il.

— Et moi, je mords, parce que je ne veux pas que vous mouriez. Voilà.

Comme gênée par cet aveu trop spontané, elle consulta la montre à son poignet droit pour faire diversion, puis tapota l'écran sur son poignet gauche.

— En retard, nous sommes en retard !

— Pourquoi deux montres ? fit-il tout de go.

La question le taraudait depuis la première seconde où il avait croisé la route de la vieille dame et il s'en saisit pour pouvoir changer de sujet.

— Parce qu'on n'est jamais sûr de rien. Quand je regarde ici (elle agita la main droite), l'heure a déjà changé par rapport au moment où je l'avais regardée là (elle agita la gauche).

— Et cette manie des horaires ?…

— Une idée fixe que j'ai contractée le mois dernier et qui me colle à la peau. Les chiffres tournent dans ma tête comme un compte à rebours sans que je parvienne à les arrêter.

— Vous devriez consulter.

— Mais, monsieur le médecin, je le fais depuis une semaine et les résultats se font attendre. Je n'ai jamais eu de chance avec les médecins… soupira-t-elle.

Elle eut ce sourire joyeux que le Docteur lui surprenait très souvent, puis elle réclama une nouvelle histoire.

— C'est donnant-donnant, j'ai raconté celles de mes tantes, à vous maintenant. Et je veux quelque chose de joyeux et triste parce que je ne sais pas si je veux rire ou pleurer !

Le Docteur prit une décision : l'histoire serait dramatique et la vieille le laisserait en paix.

— Nous amenions un jeune de dix-huit ans aux urgences quand il est mort dans l'ambulance du SAMU. Ce fut inattendu et violent. La famille est arrivée à l'hôpital, ils se sont tous mis à pleurer. La copine du jeune était là, elle avait dix-sept ans. Elle a annoncé devant tout le monde qu'elle était enceinte de deux mois. Ils avaient décidé en secret de garder l'enfant, mais elle nous a dit que c'était impossible maintenant. Parce qu'elle était toute seule et qu'elle ne savait pas comment faire. J'ai vu la mère du gosse venir près d'elle et la prendre dans ses bras en lui promettant qu'elle ne serait pas seule.

Le Docteur s'arrêta une seconde pour reprendre sa respiration et déglutir. Chaque fois qu'il racontait cette histoire, un nœud se formait instantanément au creux de son estomac. Il se forma aussi ce jour-là et il en fut très étonné.

— En sortant de l'hôpital, je suis entré dans un centre commercial. Sans trop savoir pourquoi, j'ai erré dans les rayons... Les gens allaient et venaient. Ils achetaient du beurre, du lait, des œufs, des paquets de papier hygiénique... Moi, j'étais au milieu des allées et je revoyais cette famille complètement brisée. Je ne comprenais pas comment les gens pouvaient acheter du beurre, du lait, des œufs, comme si de rien n'était.

Silence.

— Cette anecdote n'est pas triste, affirma Sarah tandis qu'au loin se détachait la silhouette massive de la faculté.

— Un jeune homme qui meurt, un nourrisson qui vient au monde. Si ce n'est pas une histoire triste, qu'est-ce que c'est ?

— Simplement la plus ancienne histoire du monde, répondit-elle en souriant, comme s'il venait de raconter une bonne plaisanterie.

L’âge d’or

Entrant dans la salle de cours par une porte dérobée, il comprit aussitôt que la vieille lui avait tendu un nouveau piège. Elle voulait qu’il retrouve sa magie ? Elle l’avait donc emmené là où on la lui avait enseignée. Rien ne ressemble plus à un amphithéâtre qu’un autre amphithéâtre, et cet endroit croulait littéralement sous le poids des souvenirs.

Elle s’installa au premier rang pendant qu’il restait en haut des gradins et essayait de ne pas se laisser envahir par la nostalgie.

— Psssst ! Mark ! Par ici, dépêchez-vous, ça va commencer ! La prof est fantastique, les meilleures places seront les premières occupées. Ce serait bête que nous soyons séparés, j’en serais très… (elle chercha le mot adéquat) désappointée.

Il descendit mollement s’asseoir à côté d’elle.

— Quelle démarche ! On dirait un homme prêt à se tirer une balle dans la tête.

Son front s’écroula sur ses mains : tout était si confus avec Sarah… Elle semait des choses dans votre tête, vous bandait les yeux, vous tournait en tous sens et après vous disait : « Maintenant vas-y, retrouve ton chemin ! »

— Le premier jour où je vous ai vu, j'ai pensé : « Va, et mets le bordel dans sa tête ! »

— Vous réussissez à merveille.

— Je m'applique, Teddy Bear, je m'applique.

— Vous êtes invivable.

— Et vous, adorable ! Je passe une semaine formidable. Pour tout l'or du monde, je ne l'aurais voulue autrement. Et je vais réussir : vous allez vivre et guérir, mais guérir en silence. On appelle cela « vieillir ».

Il secoua la tête; vivre n'était plus une option. Il était bien atteint d'une maladie, mais qu'il voulait incurable : aurait-il jamais vraiment aimé sa femme s'il guérissait un jour ?

Une claque dans le dos le ramena brutalement à la réalité. Son miroir de poche à la main, Sarah avait entrepris de se remaquiller.

— Quel âge me donnez-vous ?

— Je ne répondrai pas, c'est un piège.

— J'ai vingt-six ans, dit-elle. Mais je fume beaucoup.

Il rit.

— Vingt-six ans avant ou après Jésus-Christ ?

Elle rit.

— Teddy Bear ?

— Oui ?

— Comment me trouvez-vous ? Me trouvez-vous vraiment invivable ? Et vieille ? Me trouvez-vous trop vieille ?

— Je vous trouve jeune, Sarah, et belle aussi.

— Vous vous moquez, mais ça vous fait un peu peur d'être comme moi, hein, ça vous fait peur ?

Silence.

— Sarah ?

— Oui ?

— Vos rides vous vont bien : elles ressemblent à la vie.

— Je vous crois, mon petit. Vous êtes plus pâle qu'un mort, alors je vous crois.

La magie du monde

Les portes s'ouvrirent et une jeune femme à la peau noire s'avança au milieu du brouhaha des étudiants. D'une beauté stupéfiante, elle portait une jupe et une veste blanches très simples. Ses cheveux retenus en queue-de-cheval oscillaient de part et d'autre à chacun de ses pas.

Le chirurgien crut à une étudiante en retard, mais elle monta sur la chaire et les jacassements s'arrêtèrent net.

— Bonjour à tous, lança-t-elle d'une voix forte et claire.

Elle semblait moins âgée que la plupart des jeunes dans la salle, mais tout chez elle respirait l'intelligence et la simplicité. Le Docteur voulut partager son étonnement, mais la vieille Sarah lui fit signe d'écouter.

— Nous aborderons aujourd'hui un point difficile. Je réclame trois choses : votre silence, votre attention et votre indulgence. (Elle porta la main vers son crâne.) Je souffre d'une migraine atroce et je n'accepterai aucune agitation. Le premier qui moufte, je le psychanalyse devant tout le monde.

Sarah murmura à l'oreille du médecin :

— Vous allez voir, elle ne se laisse pas démonter, elle sait les mettre dans sa poche.

— Vous avez déjà assisté à ce cours ? chuchota-t-il.

Mais sa question fut couverte par la jeune enseignante annonçant que le cours porterait sur les figures archétypales, clichés et récurrences dans les contes de fées.

— C'est passionnant, murmura Sarah. On va parler d'un petit scarabée doré qui se cogne contre une fenêtre et qui…

Comme pour lui donner raison, le professeur avança :

— Je sais que certains attendent impatiemment l'histoire du scarabée et elle viendra. Avant cela…

Un silence écrasant s'installa.

— … Quelqu'un peut-il me donner le schéma commun à tout conte de fées ?

Qui d'examiner le bouchon de son stylo, qui le trou de sa manche ou les lampions du plafond de peur d'être interrogé.

Au grand effarement du Docteur, sa vieille voisine leva la main et donna une réponse structurée et détaillée, trop compliquée pour ne pas être vraie.

— Excellent, madame, estima la jeune femme avec enthousiasme.

La suite du cours parla d'un pays dévasté qui vivait dans la nostalgie d'un âge d'or révolu. Apparaissait un héros à l'enfance difficile, qui devait accepter son statut héroïque, puis affronter différentes épreuves…

— … fin de l'histoire est souvent marquée par la mort symbolique du protagoniste et sa renaissance, expliqua le professeur. Sa récompense ? Un remède qu'il rapportera dans son pays d'origine afin d'y faire refleurir la gloire d'antan et…

Bref, du chinois pour le chirurgien. L'odeur des strapontins en bois, les étudiants autour de lui… Il se revit il y a longtemps, en train de grimper sur une chaire avant le début d'un cours. D'un naturel introverti, le jeune Docteur était ce jour-là prêt à tout pour s'attirer la sympathie de ses camarades et ne plus être seul sur son banc. Il portait à bout de bras un mannequin attifé d'une perruque et, pour amuser la galerie, il avait poussé de grotesques bruits d'animaux en faisant mine de lui infliger les derniers outrages, le tout sous les encouragements des autres. C'était très bête et exécuté sans intelligence, mais ça les faisait rire : ils avaient tous un patient mort à oublier dans leur tête. La longue silhouette du doyen avait émergé derrière lui, gardant le silence et observant la scène. Parce qu'il croyait devoir le rire des autres à sa seule maestria, le jeune Docteur avait redoublé ses ahanements.

Au bout de quelques minutes, le doyen avait révélé sa présence en toussant. L'hilarité de tout l'amphithéâtre était montée d'un cran. La honte que le jeune Docteur en avait tirée lui servit de punition. Le doyen avait attrapé le micro et sévi par cette sentence mémorable : « Je tiens beaucoup à la réputation de ma faculté. À l'avenir, veillez à améliorer la qualité de vos chevauchements. »

Pendant que la vieille Sarah, les coudes sur la table, buvait les paroles de la jeune femme, le Docteur passa le reste du cours à exhumer des pans entiers de sa mémoire, des anecdotes tristes ou drôles, mais qui avaient toutes participé à faire de lui le médecin qu'il était devenu, mais qu'il n'était plus. Ces souvenirs en cascade lui firent mal.

— Quelqu'un a-t-il une question ? demanda le professeur au bout d'une heure en s'approchant du milieu de la scène.

Deux cents mains masculines se levèrent.

— Concernant mon cours, rectifia-t-elle.

Les mains retombèrent sous un rire général.

Sans qu'il eût le temps de réagir, Sarah saisit le bras gauche de son compagnon et le projeta violemment vers le haut. La jeune femme se tourna aussitôt vers eux.

— Nous vous écoutons, monsieur.

— Je… bafouilla-t-il en se maudissant de ne pas avoir été plus attentif tandis que son esprit calculait à toute vitesse une porte de sortie.

— Vous vous demandez où est la place de l'individu dans une société qui étouffe le mythe individuel pour y substituer le récit collectif, n'est-ce pas ?

Elle arborait un sourire à peine déguisé en disant cela, inspectant son visage trait par trait. Le Docteur sentit le regard interrogateur de cinq cents étudiants qui disait : « Qu'est-ce que fichent ici une vieille en robe de gala et son ami chauve ? »

— Euh… Oui, voilà, c'est ça. Mythe, étouffe, société… C'est ça…

— Vous soulevez là le grand problème de notre temps : nous ne sommes plus les héros de notre propre histoire, mais ceux d'une société qui la raconte à notre place. Nous avons perdu notre destinée, monsieur. Charge à nous de la retrouver et de redevenir le héros de notre propre fable. (Hochant la tête plusieurs fois, elle ajouta :) Le pays dévasté des contes de fées, c'est nous.

Cette femme avait quelque chose à lui dire, mais il ne savait pas quoi… Il pressentit que Sarah, par quelque mystère propre aux capacités extralucides qu'elle revendiquait, avait prévu ce moment exact et le trouble dans lequel le jetterait cette situation.

— Merci, souffla-t-il.

— C'est moi qui vous remercie, dit-elle en se tournant vers le reste de l'amphithéâtre. Les questions pertinentes sont trop rares.

Elle s'amusa de la réaction faussement indignée des étudiants.

— À l'heure où je vous parle, nous voyageons à plus de 220 000 mètres par seconde à travers le cosmos. Il y a plus de planètes dans l'univers que de grains de sable sur terre. Les océans recouvrent 70 % de la surface terrestre, le corps humain est fait de 70 % d'eau. L'atome est fait de nucléons et d'électrons ; le reste, c'est du vide et des forces invisibles. Nos corps contiennent 7 x 10 puissance 27 atomes. Ils sont tous âgés de plusieurs milliards d'années et remontent au silence où sont nées les étoiles. Vous, moi, le boulanger, le président, les politiciens, nous sommes faits de 99,9999999 % de vide et aucun des protons, neutrons ou électrons qui nous constituent n'est identique à ceux avec lesquels nous sommes nés, car les nutriments que nous assimilons par l'alimentation renouvellent la totalité de nos atomes en moins de deux ans. Nous changeons entièrement de corps tous les vingt-quatre mois environ. Pensez-y quand vous prendrez une cuite.

Elle fixa le Docteur droit dans les yeux.

— Pensez-y aussi si vous êtes malheureux. À chaque instant, la biologie vous donne l'occasion de devenir, au sens propre du terme, quelqu'un de nouveau.

Un souvenir de l'énigme

Une vingtaine d'années plus tôt, le Docteur effectue un stage en gériatrie. Dans les couloirs, ça sent le savon de Marseille, la tristesse, et c'est l'heure du bingo.

Pour le jeune Docteur, M. Coffre est vieux (mais plus vieux que le plus vieux des hommes, avec des rides immenses, un dentier immense, et une immense cohorte d'arrière-petits-enfants. Plus vieux que ça).

Il ne marche plus. Il est sur son fauteuil, tout glisse sur lui. Il est l'Indifférence personnifiée.

Parfois, le jeune Docteur passe devant lui et il se dit qu'il pourrait se déshabiller, se peindre le corps en violet et pousser une tyrolienne en lui lançant des petites fourchettes à escargot dans les yeux qu'il ne réagirait pas davantage. Pourtant, l'infirmière et lui essaient chaque jour de le stimuler un peu.

— Faut marcher, monsieur Coffre ! La phlébite, c'est pas une bonne copine ! Fera pas de cadeau !

Ou, le jeune Docteur, en se frappant la cage thoracique :

— L'embolie pulmonaire, ça fait mal par où ça passe !

Pas le moindre petit début de commencement d'un tressaillement. L'aide-soignant, la diététicienne, la kinésithérapeute, l'animatrice du bingo-club, ils essaient tous.

L'infirmière écrit sur le registre de transmission :

« Résultat du match sans appel :

Équipe médicale : 0, M. Coffre : 0, risque de phlébite : x 23556691948. »

Ce que nous pourrions résumer en une seule idée : « La mort approche à grands pas, car M. Coffre refuse d'en faire un seul. »

Un matin, le jeune Docteur s'énerve et lui lance à tue-tête :

— Colonel !

Le vieux lève la tête.

— Debout !

Une main sur l'accoudoir de gauche, une main sur l'accoudoir de droite, il se déplie lentement, tel un majestueux couteau suisse s'ouvrant en deux.

Le jeune Docteur commande :

— En avant ! Marche !

Colonel Coffre file droit, déambulateur entre les mains, regard perçant, les épaules voûtées, mais la mine fière et offensive. Il a rajeuni de vingt ans.

L'infirmière se tourne vers le jeune Docteur, effarée.

— Mais comment tu as fait pour le réveiller ?

— L'autre jour, j'ai relu son dossier personnel. Ça m'a donné une idée : avant d'être vieux, M. Coffre était militaire.

— Militaire ?

— Tu sais, le truc avec des uniformes, des capitaines, des trompettes, des talkies-walkies et des « Papa Ours à Maman Ours : le panda est dans le terrier, je répète : le panda est dans le terrier ! ». Le truc avec la guerre et tout et tout. Il était militaire… Toute sa vie !

Ce soir-là, seul dans sa minuscule chambre d'internat, le jeune Docteur repensa au dernier cours d'anatomie, celui sur le cerveau, à ce qui s'était dit au moment de soulever la calotte crânienne : « Regarde le cortex ! Toutes ces circonvolutions ! Comment veux-tu que la mémoire ne s'y perde pas ? »

La porte interdite

Un flot désordonné d'étudiants jaillit de l'auditorium en une masse glissante et désordonnée. La vieille dame attrapa le Docteur par la manche et l'entraîna dans les couloirs.

— On ne rentre pas maintenant, j'ai un fantasme à réaliser avant.

Elle le poussa sur le côté, et ils s'engouffrèrent dans les sanitaires.

Elle vérifia que les cabines étaient vides, attrapa une poubelle métallique et la cala contre la porte d'entrée en poussant un petit rugissement de plaisir :

— Je veux fumer en cachette !

Elle se campa droit devant un écriteau rouge où était dessinée une cigarette barrée et sortit l'objet du délit.

— Mon Dieu, c'est encore meilleur que prévu ! dit-elle, quelques secondes plus tard, en exhalant une longue bouffée de fumée blanche.

Le Docteur ne commenta pas : il était le complice le plus indifférent et apathique du monde. Il préféra s'approcher du mur et passer en revue les centaines d'inscriptions au stylo-feutre laissées par les générations successives d'étudiants.

— Cette manie des jeunes d'écrire sur les murs, je vous jure ! pensa-t-il à voix haute. Volonté inconsciente d'exprimer la peur panique de disparaître…

Il se sentait perdu devant l'extraordinaire imagination des jeunes. C'était authentiquement humain, et donc assez navrant selon lui.

— … la pensée magique n'est pas morte, elle est devenue moderne, continua-t-il. Le gosse croit que s'il écrit que telle fille est prête à avoir un rapport sexuel avec lui, alors la chose se produira bientôt et il…

Tout à coup, Sarah l'interrompit :

— Que signifie le mot « chibre », mon p'tit ? C'est écrit plusieurs fois ici et ici.

Au sourire équivoque que lui lança le Docteur, Sarah comprit et son visage vira aussitôt au cramoisi.

— Quelque chose ne va pas ? ironisa-t-il en se frottant le menton d'un air docte.

Elle balança la main par-dessus son épaule, l'air de s'en moquer, puis sortit un gros feutre noir de son sac. Il se sentit obligé de protester.

— Vous n'allez pas écrire sur les murs !

— Et pourquoi non, mon p'tit ? Je vais vandaliser ces murs pour montrer que j'ai été là un jour, bien vivante. Demain, je serai résignée, mais pas aujourd'hui.

Elle ricanait en se trémoussant comme une délinquante.

— Vous voulez écrire quoi ?

— Quelque chose de fédérateur, répondit-elle en se tapotant les lèvres du bout de son stylo. Il y a beaucoup trop d'idées différentes dans ces toilettes.

Elle eut soudain un éclair de génie et battit des mains d'excitation.

— Je sais ! Formidable ! Teddy Bear, dégotez-moi un coin de mur vierge !

Ce qu'il fit, près du lavabo central. Elle décapuchonna le marqueur, puis écrivit durant deux bonnes minutes.

Quand ils quittèrent les lieux, on pouvait lire :

« Une analyse approfondie nous permet de déclarer qu'il y a dans ces toilettes : des royalistes, des anarchistes, des homosexuels, des poètes, des homophobes, des libéraux, des démocrates, des suicidaires, des machistes, des féministes, des républicains, des anticapitalistes, des xénophobes, des néo-nazis, des masochistes, des agnostiques, des contestataires, des romantiques, des amoureux, des jaloux, des pervers (beaucoup de pervers), des immigrants, des athées, des antisémites, des émigrés, des Noirs, des Blancs… Ça vous dirait qu'on aille au restaurant tous ensemble ? »

Les cendres magiques

Ils déjeunèrent très tard, pique-niquant dans les jardins de la faculté.

L'air fleurait bon la neige fondue, et le ciel était bleu et sans nuages, comme si les Dieux du Nord avaient fait leurs valises et étaient partis en voyage. Les bouches des promeneurs soufflaient partout des colonnes de buée.

— Sarah ?

— Oui ?

— On fait quoi demain ? C'est le dernier jour…

— Je vous laisse toute la journée de demain pour réfléchir en tête à tête avec vous-même, mais ce soir je serai chez vous à vingt-trois heures dix minutes et sept secondes.

— Et qu'est-ce qu'on fera cette nuit ?

Elle prit un air polisson.

— Nous la passons ensemble.

Devant l'expression sérieuse du Docteur, elle se sentit obligée de développer.

— C'est une surprise, habillez-vous chaudement.

Il voulut flâner un peu avant de remonter l'allée qui menait au parking, mais elle refusa. L'heure ! Vite,

vite ! L'heure ! Elle grimpa dans la voiture, il la suivit, et ils quittèrent l'université. La vie passait trop rapidement auprès de Sarah.

— Nous devons faire un petit détour, Teddy Bear, dit-elle tandis qu'ils retournaient vers l'immeuble en ruine. Je veux revoir le pont… Cela me rappelle Charles et mon époux, nous vivions à côté.

— Vous êtes mariée ?

— Veuve.

Il se sentit tout à coup plus proche d'elle que jamais auparavant. Non pas que ça le réjouisse ou le réchauffe, mais il imagina un instant que leurs deuils respectifs se rejoignaient.

— Il n'était pas affectueux, mon petit.

Il fronça les sourcils.

— Il me battait comme plâtre, précisa-t-elle. Il disait qu'il me frappait parce qu'il m'aimait. Il devait m'aimer beaucoup : j'ai eu la mâchoire luxée trois fois, et l'humérus fracturé à deux endroits. Je crois que j'aurais moins d'arthrose s'il m'avait un peu moins aimée.

Une nuit, son mari était rentré ivre et l'avait frappée. Elle s'était enfuie et était tombée nez à nez avec Charles. Il n'avait pas posé de question, mais s'était occupé d'elle avec délicatesse pendant trois semaines.

— Quand mon mari est mort, j'ai fait incinérer son corps, et j'ai scrupuleusement conservé l'urne. J'en verse le contenu un peu partout. Dans les toilettes publiques, les décharges, les caniveaux… J'en garde un peu pour la voiture.

Elle posa ses doigts dans le cendrier, et le Docteur éprouva un vif sentiment de pitié et de dégoût.

— Quand je le triture, là, comme ça, c'est un moyen de ne pas le laisser en paix. Plus je malaxe, plus je lui pardonne.

Elle écrasa sa cigarette dans ce qui restait de son époux en poussant un soupir de délectation.

— Votre femme vous manque. Mon mari me hante. Tous les silences ne font pas le même bruit.

— Je suis désolé, Sarah, dit le Docteur.

Elle haussa les épaules.

— Une fois, c'était un jeudi, Charles m'a conduite aux urgences. (Elle souleva ses cheveux, montra la cicatrice en forme de 8 sur son front.) J'avais le crâne presque fendu en deux et des brûlures de cigarette sur le dos. Mon mari fumait beaucoup et n'avait pas toujours de cendrier sous la main.

Silence. Elle :

— Vous avez raison : le tabac est très mauvais pour la santé. La preuve en est qu'il est mort trois jours plus tard. Une mauvaise chute dans les escaliers. C'était quelques mois avant la naissance de mon garçon.

On pouvait voir ses souvenirs glisser sur son visage, telles des vagues lourdes, charriant des souffrances anciennes mais encore vives.

— Je croyais que votre fils était l'aîné ?

— Vous vous demandez avec qui j'ai eu ma fille ?

— Oui. Enfin… non, cela ne me regarde pas.

— Je ne sais pas qui est le père : c'était le Nouvel An, j'avais bu, il y avait trop d'hommes et il faisait très noir. Voilà ce qui se passe quand on abuse de la vodka, n'est-ce pas, mon p'tit ?

Elle partit d'un grand éclat de rire, ce qui détendit un peu l'atmosphère.

— Si vous pouviez voir votre tête ! Ma fille… comment dire… elle est venue à moi dans un orphelinat.

— Vous l'avez adoptée ?

— Je n'aime pas ce mot. Je marchais dans cet orphelinat, elle marchait dans cet orphelinat. Je portais un pantalon bleu et un haut blanc. Elle portait un haut bleu et un pantalon blanc. Point final.

Il n'insista pas.

— Mon fils est musicien. Un artiste. Il joue, arrange des morceaux, écrit ses chansons, se produit sur scène ; un petit gars épatant. Il faudrait que nous allions le voir jouer. La semaine prochaine, ça vous irait ?

— Sarah… Je serai mort la semaine prochaine.

— Je le sais bien, je vous tendais un nouveau piège, dit-elle, la voix parcourue subitement de petits trémolos, le visage humide.

— Mais… vous pleurez, Sarah ?

Elle se borna à secouer la tête, cachant maladroitement les tremblements qui agitaient ses mains.

— Laissez tomber, ça va passer, seulement… j'aime regarder mon fils sur scène. Il est aussi comédien à ses heures perdues, dit-elle en camouflant un sourire. Je me souviens d'une blague que nous avons faite il y a cinq jours à un ami médecin, c'était très drôle. Mon fils était déguisé en vendeur de pompes funèbres et il a fait semblant de prendre les mesures…

— Quoi ! s'étrangla le Docteur en comprenant. C'était lui ?!?

— Il est beau, n'est-ce pas ?

— Mais alors votre fils est au courant de notre arrangement ?

— Bien sûr ! Et ma fille aussi ! Je n'ai aucun secret pour eux. Ils savent combien notre arrangement me tient à cœur, ils ont été de bon conseil.

Le Docteur se demanda s'il était en colère ou seulement vexé. Finalement, non, la mort était là, à sa porte, alors il s'en fichait complètement.

— Quel croque-mort accepterait qu'un client s'allonge dans un cercueil pour en tester le confort, Teddy Bear ? J'ai dû tricher un peu : acheter la boutique en moins de vingt-quatre heures, fagoter mon garçon, lui faire répéter son rôle... Vous souvenez-vous du serveur un peu con-con dans le restaurant ?

— C'était lui aussi ?

Elle acquiesça.

— Mon fils adore le théâtre et il joue très bien. Je me demande s'il n'a pas des tendances... Il est très proche de son meilleur ami et... Bref, il est beau, n'est-ce pas ?

Le Docteur poussa un long soupir désabusé.

— Et votre fille, elle fait quoi ?

— Je ne vous le dirai pas : j'aimerais vous faire courir un peu...

— Vous l'avez déjà fait, madame.

— M'en voulez-vous encore ?

— Je vous pardonne si vous me répondez. Que fait-elle ?

— Ma petite chérie est professeur de psychologie analytico-comportementale à la faculté, dit Sarah en riant de nouveau. Elle est belle, n'est-ce pas ?

La mâchoire du Docteur s'affaissa sur son sternum.

— … oui, vraiment, mon petit, j'ai une fille magnifique. Et célibataire… Mais ne vous faites pas d'idées, j'ai aussi une pelle, un sac et un alibi, vous entendez, hein ?

La route défilait, il se surprit très abattu à l'idée de quitter demain cette voiture et la femme qui la conduisait.

— Comment ai-je pu accepter de vous suivre ? Je suis complètement désespéré, pensa-t-il à haute voix.

— Oh, Mark, le désespoir, avec vous, c'est presque du plaisir.

Plus tard, dans la voiture, quand la vieille dame lui demanda pourquoi il avait choisi la chirurgie, le Docteur lui répondit froidement :

— J'adore découper les gens, et les autres activités qui proposent ça sont toutes illégales.

Silence.

Subitement, elle rit, mais si longtemps après la plaisanterie que le Docteur la soupçonna d'avoir pensé à autre chose.

— Il faut rire, fit-elle, sinon la vie est horrible.

Il était plutôt d'accord sur la seconde partie de la phrase.

— Je voulais devenir chirurgien pédiatrique, mais il y a eu un problème au travail et je n'ai pas été accepté à ma formation.

— Quand vous êtes-vous senti vraiment médecin ? demanda-t-elle après un silence.

Sa question lui parut stupide. Il avait étudié la médecine dix longues années et passé son doctorat, il était docteur puisque c'était écrit sur un bout de papier.

Puis, en y réfléchissant… N'y avait-il pas eu un jour, un patient, une situation qui lui avait fait prendre conscience en son for intérieur : « Alors voilà, ça y est, je soigne, je prends soin, je suis vraiment médecin » ?

— J'ai connu une femme. Comment vous dire… J'ai vu quelque chose d'inoubliable. Quelque chose qui réconcilierait n'importe qui avec le genre humain.

La vieille dame l'écouta attentivement : septième année de médecine, deux heures du matin, de garde à l'hôpital, on le bipe dans les services. Deux fois. Un certificat de décès au cinquième et un insomniaque au troisième. Coïncidence bizarre : d'un côté une patiente venait de mourir, de l'autre un patient voulait dormir. Le jeune Docteur avait commencé par l'insomniaque et lui avait prescrit un somnifère : ç'avait été rapide, efficace, cela ne lui avait pas donné trop à penser. Il était ensuite allé au cinquième étage constater le décès. Une vieille dame. Pâle, pouls imprenable, pas de respiration spontanée, l'œil vitreux. Elle était morte. Virgil et Béatrice, l'infirmier et l'aide-soignante, s'affairaient autour de son corps nu. Après la toilette mortuaire, ils lui avaient montré comment positionner correctement le collier cervical : « Si on ne fait pas ça, la mâchoire s'affaisse et c'est vilain pour les familles. » Ensuite, ils l'avaient habillée délicatement. Le coude n'arrivait pas à passer ; Virgil avait poussé tout doucement et, quand il eut réussi, il fit : « Voilà, madame, on y est arrivé ! » L'infirmier avait répandu un nuage de parfum dans les cheveux de la vieille dame, il ne fallait pas que la famille sentît l'odeur de la mort, « C'est important, les odeurs, mon gars, elles déterminent les bons ou les mauvais souvenirs… »

— Le plus dur, Sarah, ça a été quand il a fallu boucher l'anus avec un bouchon. Le terme technique est : « bourrer le mort ». Ça aussi, c'est important : si on ne le fait pas, le corps se vide par en bas lorsque l'intérieur se putréfie…

« On les bourre avec du coton, mais moi je n'aime pas ça », avait dit Béatrice. Quelle phrase… Le Docteur s'était bien douté que personne n'aimait cela, mais là, à deux heures du matin, il avait été reconnaissant de l'entendre souligner ce détail. Ensuite, ils l'avaient coiffée longtemps et doucement, comme s'ils avaient craint de la réveiller. En donnant le dernier coup de brosse, Virgil s'était exclamé : « Et voilà ! »

— À côté de lui, fit le Docteur, Picasso terminant *Guernica* aurait eu l'air d'un minable.

— C'est bizarre, constata Sarah, quand vous parlez de médecine, on dirait un ours multicolore qui sort d'hibernation. Un ours avec des cornes de cerf sur la tête, des ailes et devant lui un bol de miel et des cacahuètes. Il les mange en tortillant des fesses et en récitant de la poésie moldave. Continuez, vous êtes splendide !

Il ne se le laissa pas dire deux fois et reprit son récit. Béatrice lui avait juré avec fierté : « On était là quand elle est partie ! » Ils auraient pu être ailleurs, changer une autre patiente, boire un café ou jouer aux échecs. Mais non, ils étaient là.

— Je les ai bien regardés, Sarah : dans leurs bras, ça n'avait pas été une poupée de chiffon pâle et lourde, mais une porcelaine triste. Je me souviens de son prénom parce qu'ils lui ont posé dans la main une chaînette dorée où était écrit « Alice ».

Le Docteur se trompait : en réalité – et il ne pouvait pas s'en souvenir –, la morte s'appelait Babeth. Alice était sa petite-fille. Elles étaient inséparables. Ils avaient passé la chaîne autour du poignet, car le collier cervical risquait de l'arracher : « Ça pourrait tomber et se perdre. » Dans le dossier, le jeune Docteur avait écrit cette phrase : « Décès constaté à deux heures trente du matin », il avait rebouché le stylo, puis était parti essorer son vague à l'âme dans un couloir, pour que personne ne le voie. D'habitude, ça ne lui faisait rien. Les vivants le touchaient, ça oui, mais les morts, rarement.

— J'étais un peu fatigué à cette époque. Aussi, le lendemain, j'ai décidé de prendre des vacances. Je suis parti au bout du monde.

Sa voix se mit à trembler, il eut comme un éblouissement et il resserra d'un coup sec sa ceinture de sécurité.

— Sarah, croyez-vous qu'on est vraiment seul dans la vie ?

— Absolument, Mark.

Et elle posa sa main sur la sienne.

L'odeur de la princesse morte

Il rentra chez lui ce soir-là, et la poignée du placard lui resta dans les mains une nouvelle fois. Ça le frappa de plein fouet, l'impression d'avoir passé sa vie à essayer de réparer une foutue poignée de porte. Il la jeta par-dessus son épaule et laissa le placard ouvert.

Ce qui le déchirait le plus était de savoir que sa femme ne franchirait plus l'entrée de leur appartement, qu'elle ne froisserait plus leurs draps avec son corps. Il aurait pu parler des mille et une autres choses qu'elle ne ferait plus, mais le silence, c'était déjà la mort, alors il ne parlait pas beaucoup. Se taire était une diagonale tendue vers elle.

Il s'approcha de la fenêtre et contempla le paysage. Il n'aurait su dire quel temps il faisait. Beau ? Gris ? Venteux ? Très froid ? Il s'en fichait.

Il se disait que sa femme lui manquait un peu. Il pensait « un peu », parce que c'était un mot facile, passe-partout : « C'est loin, la maison ? » Réponse passe-partout : « Un peu. » On ne sait pas si on arrive bientôt ou s'il reste six heures de route. Elle lui manquait un peu, donc. Même ses serviettes hygiéniques, repliées en une petite boule dure et abandonnées dans la poubelle de la salle de bains. Et l'odeur de ses pieds, quand ils avaient transpiré dans ses ballerines, l'été. Il aurait pu mourir tellement cette odeur lui manquait. C'est fou, hein, une odeur de pieds ? Beaucoup de gens diraient que c'est horrible, mais beaucoup de gens ne l'avaient pas perdue. Il n'y avait que lui. Alors ils ne pouvaient pas savoir. Et il leur dirait bien d'aller se faire foutre, tous autant qu'ils sont. Même lui. Voilà : il voulait aller se faire voir lui-même. Elle serait peut-être là-bas.

Parce que le Docteur ne savait pas où était sa femme. La nuit dernière, il avait erré dans les rues froides et blanches à sa recherche et, dans les rues froides et blanches, il s'était abîmé jusqu'au matin. Scrutant sa montre, décortiquant chaque minute passée loin d'elle, il avait tordu la grande aiguille des heures par la pensée, il en avait disséqué et plié les ressorts : ses mains étaient restées mortes, ses souvenirs inaccessibles.

Sa magie n'était pas revenue, elle n'était pas revenue…

… et lui, il la cherchait.

LA NUIT AVANT L'ENTERREMENT

Les âges de la vie

C'était le soir et l'homme attendait Sarah.

Debout sur le trottoir, il se disait qu'il avait froid, que l'air était pur, que c'était la dernière nuit de sa vie et que la famille qu'il n'avait jamais eue lui manquait beaucoup plus que d'habitude.

La vieille arriva pile à l'heure. À travers les vitres arrière du taxi, il distingua un seau à champagne, un petit brasero monté sur roulettes, des couvertures jetées en vrac… Il y avait là plus d'objets que dans tout son immense appartement vide.

— Grimpez ! Et faites attention où vous mettez les pieds !

— Du camping ? dit-il en repliant les jambes.

— Mieux : une expédition en montagne !

Elle attrapa deux petites gélules bleues, les avala d'un coup sec.

— L'arthrose est une salope.

— Sarah !

— Les dames jurent, dit-elle en démarrant, mais toujours à propos. La vieillesse ne mérite pas mieux qu'une bouche gavée d'insultes.

Il fit un geste en direction de ses articulations.

— Vous pourriez vous faire opérer.

— Plutôt mourir !

— L'un n'exclut pas l'autre…

La voiture fonçait à travers les rues illuminées. Les boutiques fermaient tard à cause des fêtes, et les piétons couraient, leurs bras surchargés de paquets. Tout était donc devenu si impatient et si pressé dans ce monde ? Le Docteur pensa que les gens étaient bêtes à Noël, mais qu'ils ne le faisaient pas exprès : quand tu achètes quelque chose, tu achètes le monde qui va avec.

— Avez-vous emballé vos cadeaux, Teddy Bear ?

— Vous êtes hilarante, répondit-il, glacial.

— J'ai eu une histoire d'amour passionnée avec un clown qui s'appelait Rodrigo, il était ventriloque pour pieds. M'a tout appris des arcanes du rire… Nous aurions vécu heureux s'il n'était pas mort le pénis dévoré par des hyènes. Et vous savez ce qu'on dit : là où y a de la hyène, il n'y a plus de plaisir ! (Elle balaya ses souvenirs imaginaires d'un revers de manche.) Ça m'a causé beaucoup de chagrin, et je…

— Sarah ? l'interrompit-il.

— Oui ?

— Taisez-vous un peu, s'il vous plaît.

— D'accord, mon petit.

Silence. Puis aussitôt de reprendre :

— Pourquoi mourir maintenant, mon petit ? Noël, c'est sacré.

Il souffla bruyamment et capitula. Il n'aurait pas droit au silence.

— C'était notre anniversaire de mariage.

— Ça alors ! Je suis sûre que vous devez vous dire : « Quelle chance incroyable pour moi d'être tombé sur cette vieille peau, l'autre matin ! Un jour plus tard, et zip ! Je n'étais plus de ce monde ! »

Et disant cela, elle se barra la gorge d'un geste rapide de l'index avant de lui tendre la main en riant.

— Sans rancune ?

Il se revit sept jours plus tôt dans la même position, en train de sceller leur pacte. Toute leur aventure se résumerait-elle à une succession de poignées de main ?

La voiture entra dans un long tunnel où les lumières orange succédèrent aux zones plus sombres, à la façon d'une pellicule attaquée par les années et l'humidité. La vieille souriait de temps en temps, le Docteur lui rendait son sourire avec parcimonie. Cette femme au volant avait quelque chose de rassurant, elle rendait son suicide moins sérieux. Tout en elle semblait crier que la mort est une parenthèse sans gravité. « Tu vois, petit, ces deux intervalles de vie ? Ils se poursuivent et ne s'arrêtent jamais. » C'était une impression idiote, mais c'était là, dans la tête de l'homme : elle lui souriait et il comprenait : « Tout va bien se passer, mon petit, tout va bien se passer… »

— Sarah ?

— Oui, mon p'tit.

— Hier vos cheveux étaient blonds. Il y a six jours, ils étaient bruns. Ce soir, je veux savoir pourquoi ils sont blancs ?

— Parce que, ce soir, je suis vieille.

Les tours immortelles

Sarah emprunta un passage souterrain et gara la voiture de biais, empiétant sur plusieurs places de parking à la fois.

— Est-ce votre faute si les peintures au sol sont dessinées dans le mauvais sens ? justifia-t-il avec ironie en levant les yeux au ciel.

Elle referma les portières en riant, ouvrit le coffre, sifflota *New York, New York*, lui glissa dans la main droite la poignée du chauffage portable, dans la main gauche l'anse du seau à champagne, puis lui passa par-dessus l'épaule deux gros duvets reliés par une corde en chanvre.

— Courage, mon p'tit ! fit-elle en paradant crânement devant lui. Les ladies marchent, les gentlemen portent.

Il releva le menton en direction du plafond.

— Votre montagne ?

— Façon de parler, Teddy Bear. Images, métaphores et allégories ! Les égouts sont des enfers, les jardins publics des forêts de symboles et les gratte-ciel des volcans ! Notre chance ? Celui-ci possède un ascenseur.

Les boutons de la cabine avaient été martyrisés par des brûlures de cigarettes ; une odeur de vieux tapis mouillé lui agressa les narines.

— Ces tours sont l'endroit le plus magique du monde, on voit toutes les lumières de la ville, même celles qui ont disparu. Elles sont si grandes, si… invulnérables ! Une nuit entière à nous sentir immortels. Vous, moi, 400 mètres au-dessus du sol… Les rois du monde, mon petit !

Le thermomètre était formel : ce qui les attendait sur le toit, c'était une température à leur cailler le sang dans les veines.

— Vous devrez me tenir chaud.

— Toute la nuit ?

— Toute la nuit. J'ai graissé la patte à tellement de gens pour qu'on nous laisse tranquilles, vous ne gâcherez pas mon plaisir.

Silence. Elle regarda sa montre avec appréhension.

— Mon petit ?

— Oui ?

— Vous vivrez, qu'il pleuve ou qu'il vente. Vous vivrez, et votre femme comme vos regrets ne seront que de la pluie et du vent. J'arriverai à vous rendre vos souvenirs et vous redeviendrez l'homme que vous étiez.

— Qu'est-ce qui vous rend si sûre de vous ?

— Je suis dangereuse quand je suis acculée.

— Vous ne m'effrayez pas, je suis médecin. Je sais me débarrasser d'une méningite, d'un choléra et d'une diphtérie.

Elle lui envoya un baiser de la main.

Le château dans le ciel

Il y avait une forme de drame dans cette mise en scène : l'homme et la femme, au cœur de la nuit, bivouaquant au milieu des étoiles sur le toit du plus haut gratte-ciel de la ville… Le Docteur accepta le rôle que Sarah voulait lui faire endosser : c'était son dernier acte, il était fatigué.

— Vous avez tout organisé : vous, moi, ici ?

— Oui, mon petit. Même la neige.

Elle leva le nez au ciel.

— Elle tombera dans quatre minutes et trente-trois secondes exactement.

— C'est tellement cliché…

— Merci, mon petit. Je me donne un mal de chien, vous savez : j'ai visionné toutes les comédies romantiques qui se passent en hiver et qui se terminent bien !

— Vous avez oublié les bougies.

— Impossible : je suis allergique au feu, dit-elle en attrapant son briquet.

Rires, grésillement d'une cigarette.

— Alors, pensez-vous finalement que les pingouins ont des genoux ?

Il répondit, mais seulement parce qu'il voulait faire illusion jusqu'au bout :

— Évidemment, Sarah. Comment demanderaient-ils leurs femelles en mariage, sinon ?

— Un point pour vous, concéda-t-elle.

Ensuite elle demanda quelle couleur adopte un caméléon perché sur un autre caméléon, mais l'homme ne savait pas ; il se disait en lui-même que c'était sa dernière nuit sur terre et qu'il avait très peur.

— J'imagine qu'il est vert de rage quand il est en colère, pensa la vieille dame à haute voix.

Ils étaient emmitouflés dans leurs sacs de couchage, le brasero à leurs pieds pour leur tenir plus chaud, au milieu d'un Grand-Tout calme, blanc et pur. De longues volutes de fumée grimpaient vers le ciel comme des échelles de coton, et quand il se mit à neiger, elle se colla contre lui en désignant le ciel.

— Pile à l'heure !

Gêné par tant de quiétude – et d'intimité –, le Docteur écarta les bras emprisonnés dans le tissu, repoussant Sarah loin de lui.

— Qu'il est petit, ce duvet !

— Plaignez-vous ! Vous ne serez pas plus à l'aise dans votre cercueil flambant neuf, en teck balinais et molletonné de coton Blue Classic Royal.

Il fut bien obligé de se ranger à son avis.

— Comment faites-vous pour avoir toujours raison, Sarah ? plaisanta-t-il.

— Il m'arrive d'avoir tort.

— Vous voyez ! Vous avez encore raison !

Elle rit, puis il vit son visage de vieille reine changer, traversé par un éclair de nostalgie.

— Connaissez-vous la chanson *This Guy's in Love with You*, mon petit ?

Il blêmit immédiatement : c'était la chanson préférée de son épouse. Quand les médecins finissaient leur visite, le Docteur-qui-aimait-sa-femme dansait avec elle dans sa chambre d'hôpital. Ils choisissaient une chanson, il la portait, puis ils tournaient doucement. Le dernier jour, ils valsèrent quatre minutes. C'était long ! Ils firent durer la chanson toute une vie. Ils y eurent des enfants, un garçon et une fille, ils les élevèrent, ils allèrent à leurs pièces de théâtre, et toutes ces choses qu'on doit faire avec ses enfants avant qu'ils ne soient trop grands. Quand la musique s'était arrêtée, il avait installé sa femme devenue très vieille sur son lit et il s'était collé contre ses reins. À son réveil, il était seul, elle était… Le Docteur avait souvent cherché le mot exact, celui qui ne le déchirerait pas en deux et serait le moins « inacceptable ».

— Alors, insista-t-elle, la connaissez-vous ?

Il fixa le bout du duvet qui disparaissait dans le noir.

— Non, Sarah, je ne connais pas cette chanson, mentit-il.

Elle posa sa coupe de champagne sur le rebord de l'immeuble, s'extirpa du sac de couchage en grimaçant et lui tendit la main :

— On danse ? S'il vous plaît, je crois que j'en mourrais si vous refusiez.

Elle lui apparut si frêle… Il ne put se désister.

— Vous connaissez les paroles ?

— Nous les inventerons sans difficulté.

— Nous n'avons pas de musique.

— Peu importe, affirma-t-elle, mes enfants disent que je chante très mal.

— Et vous voulez danser comme ça longtemps ?

— Tout droit jusqu'au matin, le tempo nous est compté.

Il se força à adopter une mine avenante, mais il eut très envie de pleurer tout à coup.

— Madame.

Elle fit une révérence, il l'attira contre lui. Quand elle se mit à fredonner, le Docteur crut qu'on étranglait un chat quelque part.

— Je vous avais bien dit que je chantais comme une seringue.

— Les seringues ne chantent pas, lui rétorqua-t-il en souriant.

— C'est normal, c'est parce qu'elles ont honte !

Les flocons tourbillonnaient autour d'eux, se mêlant à leur danse sans être invités. Sarah pesa sur les bras de l'homme, à peine plus lourd que la chantilly qui tombait du ciel.

— Et si vous vidiez vos poches, partiez loin d'ici, puis soigniez ? dit-elle en passant le dos de sa main sur les joues de l'homme avec une tendresse infinie.

Ne voulant rien entendre de ce qu'elle disait, il la fit virevolter et elle se laissa faire, l'un et l'autre emportés par une forme d'élan et d'excitation mutuelle à mettre pour elle sur le compte du champagne, pour lui sur celui de sa mort prochaine. Le Docteur était presque heureux : il allait bientôt être réuni avec sa femme ou, si ce n'était pas le cas, trouver la grande paix de l'anéantissement et l'absence de douleur.

— Vos enfants ont raison, dit le Docteur quand ils arrêtèrent de tourner, ce que vous avez fait subir à cette chanson est terrifiant ! Les croisés ont fait pareil à Constantinople.

— Saccager ?

— C'est ça, oui, saccager.

— Merci, Teddy Bear, oh, merci !

Il répondit : « De rien », mais il pensa que cette musique le hantait déjà, et qu'elle n'avait pas besoin de l'assassiner une deuxième fois.

Le secret de la vieille magicienne

Pour Sarah, le monde était une boule à neige qui venait d'être remuée très fort.

— Ma première tante, Maria, jurait que les flocons étaient la chair, le squelette et la peau des bonshommes de neige !

Elle claqua des dents. Le Docteur baissa les yeux : deux minuscules têtes d'épingle gelées achevaient de tracer leurs sillons sur ses joues. Il ramassa une de ses larmes du bout de son doigt et il la déposa sur sa joue gauche. C'était absurde, inconvenant et très froid.

— Maria est morte dans les camps. Ses cendres ont parcouru des milliers de kilomètres et imprimé sa silhouette sur le porche de sa maison. On la voit courbée en deux en train de cueillir un champignon. N'est-ce pas inapproprié ? On tue son peuple et elle cueille des amanites !...

— Pourquoi vous pleurez, Sarah ?

Il l'entendit maudire sa sensibilité.

— Les flocons de neige qui tombent sur ma peau... Ils veulent modeler un bonhomme de neige triste... Je crois qu'ils réussissent, les petits salauds !

— Pourquoi pleurez-vous ? s'obstina-t-il en volant une autre larme, posée sur sa joue droite celle-ci.

— Vous ne devriez pas essuyer les larmes de quelqu'un sans mettre de gant, lui conseilla-t-elle avant de se coller plus fort contre lui et d'abîmer son visage dans le col de son manteau.

— Qu'est-ce que vous faites ?

— Je me cache, gros bêta…

Elle tremblait de la tête aux pieds.

— Teddy Bear ?

— Oui ?

Il dut se pencher pour décoder le sens de ses paroles.

— Charles et moi… Nous nous retrouvions en cachette dans un bar, toujours le même, Chez Maxence : les néons étaient roses, la bière infecte et le cuir des fauteuils usé.

Elle soupira.

— Un soir, nous étions allés au cinéma voir *La vie est belle*, Charles avait aimé et j'avais détesté…

Des sirènes de police retentirent au loin.

— … On s'est assis, Charles a versé une pincée de cannelle en poudre sur ses mains en disant : « Souviens-toi de ce que la vie nous donne ! » Ensuite il a ri, puis la serveuse s'est approchée…

La vieille dame hachait les mots et entortillait les phrases à toute vitesse, presque sans souffle.

— … Elle a pris ma commande et ignoré la sienne. « On sert pas les négros. » Charles m'a regardée, il a pensé que j'allais prendre sa défense, mais je… mais je…

Elle s'interrompit subitement, ses jambes lâchèrent et elle s'écroula. Le Docteur la récupéra in extremis et la remit sur pied avec délicatesse, comme on lâche le vélo d'un jeune enfant. Tout empêtré dans sa propre douleur, il ne savait pas quoi faire de la passion qui ébranlait soudain le corps osseux de la vieille. Elle s'agrippa à lui de toutes ses forces :

— Vous aviez raison, l'autre jour : je suis un monstre.

Elle n'ajouta pas un mot de plus.

Le Docteur attrapa deux cigarettes, en tendit une à Sarah, garda l'autre pour lui-même. L'espace d'un instant, il se sentit contrarié, comme dépossédé de son deuil, puis il comprit que sa rencontre avec la vieille ne devait rien au hasard : cette semaine en sa compagnie avait été comme la belle musique à la fin d'un bon film.

Quand Sarah reprit des couleurs, il n'y avait plus ni cigarette ni champagne.

— Je me demande si la neige me rend triste ou s'il neige parce que je me sens triste.

Elle envoya une poignée de poudreuse par-dessus le toit, sans amusement, et suivit des yeux la cascade s'effondrer dans le vide.

— La magie existe, lui répondit-il en la paraphrasant, il faut la faire soi-même.

Elle sourit et ses yeux s'illuminèrent subitement de bonheur.

— C'est si beau ! Monter jusqu'ici pour voir ça... Il faut le faire au moins une fois avant de mourir, n'est-ce pas, Teddy Bear ?

Elle s'approcha du bord et sonda dangereusement l'espace. Un coup de vent souleva ses longues mèches blanches et les promena en tous sens.

— Rentrerez-vous demain prendre cette arme pour vous tirer une balle dans la tête ? demanda-t-elle, et l'obscurité interminable transforma son petit corps en poupée prête à être lancée dans l'abîme. J'ai besoin d'en être absolument sûre, c'est très important pour moi.

Il se souvint du jour où sa femme lui avait offert le pistolet remis à neuf et les chargeurs dans la petite boîte rouge. « Pour toi, avait-elle dit, parce que je t'aime. »

La voix du Docteur se brisa.

— Je le ferai.

— À vingt-trois heures trente et une minutes et douze secondes ?

— À vingt-trois heures trente et une minutes et douze secondes.

— Ce sera terrible.

— Ce sera fini.

Il soupira. La balle qui mettrait fin à ses jours avait été tirée à cet instant précis, quand la musique s'était arrêtée dans sa chambre d'hôpital.

— Ce que vous dites… Cela me tue, fit-elle en baissant la tête, vaincue.

Il la serra encore contre lui en guise d'excuse.

— Ce n'est pas votre faute. Vous avez fait de votre mieux.

La bourrasque redoubla d'intensité et, soudainement, la vieille dame sourit, elle semblait avoir enfin accepté sa décision.

— Soit, dit-elle apaisée, sans doute faut-il mourir un jour… Je n'aime pas les adieux, aussi quand je vous ramènerai, pourrez-vous dire quelque chose qui ne soit pas définitif ?

— Par exemple ?

— Je ne sais pas. « On se voit demain ? » Oui, ce serait bien qu'il y ait le mot « demain » à la fin de la phrase.

Puis elle posa la tête sur son épaule en disant qu'il était un pauvre imbécile.

— L'aube est loin, le pauvre imbécile aimerait encore danser avec vous. Mes tympans n'ont pas encore versé tout le sang dont ils sont capables.

Elle lui saisit la main et l'entraîna loin du bord.

— Allons, l'idiot, si nous avons le temps !

Le rendez-vous de la vieille Sarah et de l'homme-qui-allait-mourir

Il prit la place de Sarah en remontant dans la voiture, décidé à conduire au hasard des rues, redécouvrant le plaisir de tenir un volant. Sa main commandait, la voiture suivait. Que cette masse de tôle obéisse à la moindre de ses impulsions lui apparut extraordinairement agréable et aisé.

Sarah lui demanda de l'emmener en boîte de nuit, il crut qu'elle plaisantait. Elle ne plaisantait pas. Elle voulait un lieu avec de la musique très forte et du bon champagne.

Au détour d'une rue, ils virent sur un trottoir un couple se tenant par la main, qui riait. Sarah détourna aussitôt le regard et ses joues rosirent de mille et une nuances qui voulaient tout dire et l'excitation et la peine, et la joie et le regret d'une vie à peine ébauchée.

Elle désigna un taxi qui passait en sens inverse.

— Celui-ci aussi est à moi.

— Pourquoi faire ce métier si vous êtes aussi fortunée que vous le prétendez ? demanda le Docteur.

— Vous êtes mon premier client. C'est mon véhicule, mais je ne le conduis que depuis sept jours.

J'adore l'idée d'emmener les gens d'un point à un autre. J'ai acheté toutes les agences de taxis de la ville il y a vingt-cinq ans. Je possède treize restaurants, deux manoirs, un parc aquatique, onze voitures, trois dogues allemands, un jet privé, un stradivarius, un âne qui s'appelle Christine et une douzaine de fondations… (Elle compta sur ses doigts.) Ou treize, je ne sais plus… Dans la vie, mon petit, si tu sais ce que tu as, c'est que tu n'as rien.

— Je suis heureux d'apprendre que j'ai servi de divertissement pour vieille milliardaire désœuvrée.

— Ce n'est pas ça, vous le savez très bien.

— Non, justement, je ne le sais pas.

Silence.

— Comment avez-vous fait fortune ?

— Un jour, c'était un jeudi, j'ai trouvé une figue. Je l'ai frottée pour la faire briller, puis je l'ai vendue. Avec l'argent, j'ai acheté deux figues et devinez quoi ?

— Vous les avez frottées et revendues au double de leur prix ?

Un voile triste passa sur son visage.

— Pas du tout. J'ai reçu une lettre du facteur. Tante Graziella avait été gazée dans un camp d'extermination et j'héritais l'équivalent de six cent trente-huit millions de dollars en tableaux, sculptures et clous de menuiserie.

Quelques ombres erraient dans les rues désertées. Il s'était remis à neiger, et le bruit du vent remontant le long des façades en verre rappelait la plainte glacée d'un géant solitaire.

— Croyez-vous qu'ils auront de la cocaïne ? J'ai toujours voulu savoir quel goût avait la cocaïne.

— La cocaïne n'a aucun goût ! Vous la sniffez, vous ne la mangez pas.

— Les gens ne savent pas ce qui est bon.

Elle eut l'air de reconnaître les lieux et lui demanda de tourner à droite, puis à gauche et enfin deux fois à droite. Soudain, un cri :

— Attendez, stop ! Garez-vous là.

C'était un bar, avec de gros néons roses.

— Ça a changé de nom, mais c'était ici, dit-elle. « Chez Maxence ». Je crois. Je ne sais plus. Ce n'était peut-être pas celui-là. C'est loin, maintenant.

Plusieurs filles riaient, fumaient et buvaient sur le trottoir, devant l'entrée.

Mille pensées se bousculèrent dans la tête du Docteur : « Je le fais, je ne le fais pas… Je le fais. Non, je ne le fais… Je le fais, allez ! »

Sans écouter Sarah qui le suppliait de rester avec elle, il jaillit de la voiture et pénétra dans le bar d'un pas sûr et victorieux. Il en ressortit quelques instants plus tard, un sachet de sucre glace dans la poche.

Une minute après, Sarah essayait avec difficulté de former de petits rails sur le tableau de bord de la voiture.

— En voulez-vous ?

— Sans façon, répondit-il.

Elle se contorsionna, hésita, y alla, recula, y retourna, émit de drôles de bruits avec son nez, inspirant et éternuant plusieurs fois, sniffant plus de vide que de sucre, et finalement se renfonça dans son siège :

— C'est fantastique, je me sens... Je me sens... Toute chose !

Après cette semaine à subir sans rien dire, le Docteur venait de prendre une revanche aussi charmante qu'inoffensive.

— Vous imaginez, si nous nous faisons arrêter par la police, mon procès-verbal ? Qu'écriront-ils sur l'en-tête ? Nom : Sarah, prénom : La Vieille, profession : milliardaire et chauffeur de taxi.

Il l'interrompit :

— Tortionnaire.

— Oui, vous avez raison, Teddy Bear ! Chef d'inculpation : charmante, drôle, spirituelle, parfois vulgaire, mais jamais grossière, en un mot : absolument irré-sis-tible !

— Vous pourrez ajouter vagabondage nocturne, conduite sous l'emprise de drogue, violation de biens publics, actes de violence envers des courges et stationnement interdit.

— Mais je finirai ma vie en prison, mon petit !

— Quelle plaie pour vos codétenues !

Il l'aperçut qui jetait un coup d'œil fugitif vers le bar... Il décida de la pousser un peu.

— Vous voulez entrer ? Les sièges sont toujours aussi mités et la bière n'est pas assez chère pour être bonne !

Silence.

— C'est maintenant ou jamais, Sarah, lança-t-il en lui prenant la main pour l'entraîner dehors.

— Entrer là ? dit-elle crispée. Non ! Je n'oserai plus jamais. Je ne suis même pas sûre d'être au bon endroit, ma mémoire me joue des tours.

— On fait quoi ?

— On attend.

— On attend quoi ?

— Je ne sais pas… on attend.

Une heure passa durant laquelle ses doigts rongés de rhumatismes s'entrelaçaient en tous sens sous l'effet d'une anxiété immense et désordonnée.

Tout à coup, il y eut un cri de rage, et une brune très maigre avec un blouson de cuir surgit du bar en hurlant :

— Ne me parle plus, tu entends ? Jamais ! C'est fini !

Une grande blonde, en jean Levi's rouge, la rejoignit.

— Arrête !

Les autres clientes regardaient sans un mot.

— Non, c'est fini, je n'en peux plus…

Elles s'éloignèrent du bar en courant. Arrivées à hauteur du taxi, jean rouge plaqua blouson de cuir contre le mur et colla son front contre celui de sa compagne. Sarah et le Docteur entendaient tout.

— Pardonne-moi !

— Tu m'aimes ?

— Pardonne-moi, répéta l'autre à son oreille.

« Pardonne-lui », murmura Sarah dans un souffle à peine audible.

— Je n'en peux plus ! cria l'autre. Tu entends ? Je n'en peux plus !

« Pardonne-lui », pria Sarah en jetant ses doigts tremblants vers le cendrier.

Jean Levi's rouge pleurait, brune maigrichonne pleurait, Mamie-Robe-de-soirée pleurait.

— Je t'aime, dit la plus jeune.

— Tu es folle.

— Je t'aime.

« Elle t'aime », marmonna Sarah entre deux hoquets.

— Viens, dit la plus grande, rentrons. Je suis folle.

Elles s'éloignèrent dans une ruelle et la nuit fut sur elles comme le drap d'un grand lit.

Sarah baissa la tête, épuisée.

— Vous avez vu, chuchota-t-elle, comme elles sont parties toutes les deux ? Hein, vous avez vu ?

— Qu'est-ce qu'on fait ?

Silence.

— Sarah ?

— Partons.

— Vous êtes sûre ?

— Maintenant, oui. Je me suis trompée : ça n'a jamais été ce bar-là. C'était un autre.

Le dernier souvenir

Vingt ans plus tôt, fin de stage aux urgences. Si tout va bien, dans deux mois, le jeune Docteur intégrera la meilleure formation pour devenir chirurgien pédiatrique. Des années qu'il y pense. Depuis les matinées en slip à regarder les histoires de super-héros dans sa chambre d'hôpital.

Ce soir-là, il fait équipe avec un des chefs de l'hôpital. Un type détestable et détesté. Mais craint, alors on fait comme si.

23 h 13. On les appelle pour un malaise à domicile. Mme Forêt, haletante, la main crispée sur son thorax. Attaque cardiaque.

Devant l'ambulance, la vieille dame qui vit avec Mme Forêt s'avance en tremblant.

— Je voudrais l'accompagner, messieurs.

Le chef :

— Vous êtes qui, vous ?

La vieille dame hésite. Peut-être pense-t-elle que les temps ont changé ? Elle prend la main de la malade.

— Je suis sa compagne depuis trente-sept ans.

Sur le brancard, l'autre vieille est en train de mourir : sous une tresse longue comme la vie, ses veines sont très bleues, sa peau est très blanche.

Le chef :

— Ce n'est pas possible. On ne prend que la famille, appelez un taxi et retrouvez-nous à l'hôpital.

Il claque la porte.

Dans l'ambulance, il s'esclaffe devant Mme Forêt encore consciente :

— Supporte pas les vieilles gouines, moi !

Le jeune Docteur regarde le chef. Le chef le terrifie, c'est lui qui validera ou non sa demande de formation. À cet instant, quand il décide de faire profil bas, il se déteste. Il tue quelque chose en lui. Il pense à tout ce qu'elles ont dû affronter, ces « vieilles gouines », avec leurs rides, leurs douleurs aux genoux et leurs souvenirs communs qui s'embrouillent. Oh, ça oui, elles ont dû en partager, des combats, et en essuyer, des crachats.

À mi-chemin, Mme Forêt à demi morte s'agite, essaie d'arracher son masque à oxygène. « Elle a entendu ce que Chef a dit. Elle a entendu et les derniers mots à avoir résonné à ses oreilles sur cette terre seront "vieilles gouines". » Le jeune Docteur en tremble de rage. Il ne veut pas qu'elle parte comme ça. Ce n'est pas « bien ».

Quand il y repensera, il se dira qu'il aurait pu se pencher sur elle et lui parler très fort à l'oreille en désignant le chef : « N'écoutez pas ce type ! Vous êtes belle, madame. Votre femme est belle. Et vos nattes très longues, si les cheveux y sont blancs, c'est parce qu'elles ont poussé ensemble. » Mais non. Il n'a rien dit ce soir-là, dans l'ambulance, et Mme Forêt est morte.

Deux mois plus tard, le chef lui remet le formulaire complet avec sa signature. Il sera accepté en chirurgie pédiatrique. Il a même droit à une tape dans le dos : « Bienvenue dans la famille, mon gars ! »

Le Docteur fait alors la chose la plus incompréhensible de sa vie : il ne rend pas le formulaire. Il ne peut plus, pas après ce qu'il n'a pas dit et qui ne cesse de le hanter. Il ne deviendra pas « technicien le jour, chirurgien pour les enfants la nuit ». Il pense se punir ainsi, en tuant le rêve du gosse qui mangeait des gâteaux à la citrouille en regardant des dessins animés.

Alors il se réoriente la mort dans l'âme, se met lentement à oublier pourquoi il a voulu faire ce métier. Et quand sa femme meurt dans ses bras quelques années plus tard, il oublie le nom de ses patients. Il ne soigne plus, il attend quelque chose qui ne viendra pas.

Le dernier coucher de soleil

Ils allèrent au bord de l'eau. La vieille sortit un bandeau juste avant l'aube. Elle avait décidé de le priver du spectacle.

— Pensez donc ! Toutes ces aurores que vous ne verrez jamais !

Un rai de lumière naissant toucha les sourcils du Docteur, il regarda la vieille dame droit dans les yeux et elle comprit.

— Très bien, dit-elle en jetant le bandeau dans le fleuve, inutile de s'entêter. Vous avez gagné – ou perdu, c'est selon.

Il la trouva étrangement sereine.

— Nous étions dans le même camp, Sarah.

La vieille vérifia l'heure sur sa montre jaune, sur sa montre bleue, leva les bras tel un chef d'orchestre.

— Maintenant ! cria-t-elle.

Et le soleil apparut lentement devant eux, jetant des flèches dorées sur l'île. Magnifique. Sublime. Invincible.

Le Docteur voudrait que sa femme voie ça. Elle aimerait. Si elle voyait cette pluie jaune qui tombe et se soulève, elle vivrait de nouveau. Elle ne repartirait pas. Pas avec cette lumière. C'était de l'or. De l'or partout.

— Mark ?

— Hum ?

— Que ferez-vous avant de mourir ?

Il réfléchit un instant et les mots s'échappèrent spontanément :

— J'ouvrirai la fenêtre.

— Pourquoi ?

Il secoua la tête, il n'en savait rien. C'était idiot… Il lui renvoya la question. Elle parut triste et songeuse, puis tout à coup d'une gourmandise féroce :

— J'expliquerai aux gens qui me détestent et que je déteste combien je les aime infiniment. Ma mort les rendra tristes et je pourrai les emmerder une dernière fois. Malin, non ?

— Sérieusement, Sarah, vous feriez quoi à ma place ?

Elle pencha la tête sur le côté, le poids du monde concentré dans une seule boucle d'oreille.

— Je mettrais de la musique sur le tourne-disque. Quelque chose de très mélancolique. J'embrasserais mes enfants et je leur dirais de me laisser seule. Puis j'enlèverais cette robe de soirée et je scruterais mon corps nu et fané dans plusieurs immenses miroirs. Alors je serais enfin certaine de vouloir quitter cette vieille carcasse. Parce qu'il faut être sûr, mon p'tit… oui… sans cela… hum… l'affaire est délicate… Maintenant taisons-nous et profitons de l'instant : ce n'est pas tous les jours que le soleil se lève pour la dernière fois !

Une séparation sous le figuier

Il roula lentement sur la route du retour, les flocons formaient sur le sol une épaisse couche de peinture blanche et glissante. Sarah regardait par la fenêtre et souriait sans rien dire. Elle s'appliquait à accueillir l'extérieur comme si elle le voyait pour la première fois. Le Docteur faisait très exactement l'inverse.

Ils s'arrêtèrent deux fois pour qu'elle aille faire pipi. Elle disait que c'était l'âge et la perspective du soir. « Bientôt, tout sera fini », et elle le fixait droit dans les yeux.

On voyait bien qu'elle avait peur, un peu.

— Nous y voilà, constata-t-elle quand il gara le taxi près du figuier, la croisée des chemins.

— Nous y voilà.

Il craignit qu'elle n'ait pas la force de redémarrer la voiture et de s'en aller. Il jaillit donc du taxi comme un nouveau-né pressé de sortir, et il laissa le moteur tourner pendant que Sarah réintégrait sa place au volant.

— Merci pour tout.

— Tss, tss, nous avions un deal : « Pas d'adieux ».

Elle porta les doigts vers son cendrier et y tritura nerveusement les cendres.

— Ce n'était qu'un remerciement. Si j'avais voulu vous dire adieu, je vous aurais regardée, là, comme ça, et je vous aurais dit combien vous êtes belle et combien vous allez me manquer.

— Je ne vous crois pas.

— Je vais devoir le dire une deuxième fois, alors.

Ils restèrent silencieux, gênés. Au loin, le bruit des voitures enflait : le monstre à carapace se réveillait. L'homme jeta un coup d'œil distrait vers l'arbre aux fruits magiques, mais Régis le Pêcheur n'était pas là.

Il prit le vieux manteau apporté par Sarah, le lui tendit en la remerciant.

— Il est très décousu, très délavé, mais qu'est-ce qu'il tient chaud !

— Gardez-le, vous risqueriez d'avoir froid. Il appartenait à mon mari et je me réjouis qu'il réchauffe quelqu'un. C'est peut-être le dernier cadeau que cette vie vous fera, alors…

Une sensation désagréable lui resta coincée dans la gorge. Il tira la poignée.

— Sarah ?

— Oui, mon petit ?

— Vous allez me manquer quand je serai mort.

Elle balança la main par-dessus son épaule en fixant la route devant elle, l'air de dire : « Bon débarras ! »

— Bonne journée, madame, dit-il tremblant.

« Regarde-moi, pensa-t-il. Je vais me tuer, alors regarde-moi une dernière fois... »

— Adieu, Teddy Bear.

Il fit le tour de la voiture, cogna à sa fenêtre, se pencha en la prévenant :

— Vous avez oublié de boucler votre ceinture.

— C'est vrai.

La voix de la vieille dame avait faibli. Elle enclencha le mécanisme d'un geste malhabile et dut s'y reprendre à plusieurs fois.

— On se voit demain ? murmura-t-il en essayant désespérément de capter son attention.

— Bla-bla-bla...

Il vacilla.

— Sarah, on se voit demain ?

— Comme toujours, mon petit, fit-elle le visage résolument vissé devant elle.

Une impulsion subite lui fit passer la tête dans l'habitacle et déposer un baiser sur ses lèvres. Sans culpabilité aucune. Il pensait que sa femme aurait fait pareil à sa place : elle l'aurait embrassée aussi, cette vieille dame en robe de soirée. C'est ce qu'il faut faire, à la fin des contes de fées.

Sarah s'étrangla de surprise. Ses mains se resserrèrent sur le volant et, sans un adieu, elle passa la première, vers la grande artère qui bouillonnait de vie. Le Docteur pensa à Ana, à lui, à Sarah.

Elle ne l'avait pas regardé.

Au milieu de la chaussée, il ferma les yeux un instant ; il était là, encore, le taxi.

Les trottoirs, les arbres, tout devint jaune.

Un rire résonna, juvénile et très lointain, puis plus rien.

Il était debout.

Il était seul.

Sous le figuier.

La fin du conte

Le Docteur-qui-aimait-sa-femme agit comme un automate : ne pas entrer dans l'appartement – surtout ne pas entrer –, acheter deux immenses bouquets chez le premier fleuriste venu – un pour Ana, un pour Charles –, des roses, des orchidées, des jacinthes : elle les adorait.

— Mais, monsieur, ce ne sont pas des fleurs qui vont ensemble ! s'exclama la femme en tablier derrière ses casiers de fleurs et ses oignons, puis elle trancha net un bourgeon qui dépassait.

— Parfait, répondit-il d'un ton las, je les prends toutes.

Gagner le cimetière en traînant une brassée de fleurs – trop grosse pour les retenir toutes –, semer derrière soi des pétales et des odeurs que les premiers marcheurs du jour enfonceraient dans la neige d'un coup de talon.

Arriver devant les grilles et attendre, les bouquets à la main.

Il n'arrivait plus à se souvenir de la dernière fois qu'il avait patienté comme ça, devant une porte fermée. Il ne pouvait pas dire que ça lui avait fait du bien, mais ça l'occupa dix minutes. Quand il eut trop froid, il cogna la grille plusieurs fois et d'une main molle. Popovitch lui ouvrit sans marquer le moindre étonnement et le Docteur déversa le premier bouquet sur la tombe de Charles, en colère contre cet homme qu'il ne connaissait pas, mais qui faisait tant souffrir la vieille dame.

Ensuite il gagna la sépulture de sa femme et y jeta les autres fleurs.

— Voilà pour toi, puisque tu te crois morte ! dit-il avec violence avant de s'écrouler à genoux, sans verser une seule larme.

Le marbre était glacé, il y donna quelques coups de poing, puis s'arrêta quand il eut mal. L'autre jour, en courant ici, il n'avait pas vraiment voulu y croire. Ce petit carré de marbre rose ? Mais ce n'était pas elle ! Du calcaire, de l'oxyde de fer et du silice, ça oui, mais Ana…

Popovitch déposa une tasse de chocolat fumant, puis repartit comme il était venu, lugubre et claudicant. Le Docteur but un peu, par habitude, il ressassa beaucoup, par habitude aussi. Rien ne le réchauffa, comme d'habitude. Il s'en foutait.

Il avait envie d'insulter le monde entier et, comme le monde entier était trop grand, il commença par elle. Arriva le moment où il ne sentit plus l'extrémité de ses doigts, alors il lança un dernier adieu sévère à ses souvenirs – acheva de vomir sa haine du monde –, se leva pour partir, balança un dernier coup de pied à la tombe tellement elle était laide et… C'était là, sous ses fleurs ! Un minuscule bouquet de jacinthes ! Pas de carte, pas de nom, rien !

— Excusez-moi, monsieur, qui est venu déposer ça ? demanda-t-il à Popovitch qui attendait à l'entrée du cimetière.

Le fossoyeur ouvrit la montre à gousset qui pendait de son veston et la lui montra en disant qu'il ne savait rien, et qu'il était l'heure pour le médecin de s'en aller. Le Docteur le salua cordialement malgré tout, puis il traîna ses pas jusqu'au métro, les jacinthes à la main. Deux minutes après, il échouait dans un coin de rame qui passait. Affronter cette surenchère de visages mornes et gris, soit, il l'acceptait, mais pas sans la chercher un peu. Ana ? « Elle devait bien être là, se dit-il, dans cette émulation de tristesses banales. Ana ? » Il prendrait les yeux verts de monsieur, les cheveux de feu de madame, la taille de cette jeune fille, les mains de cette autre, et il la referait tout entière avec eux.

Il voulait quelque chose d'impossible : que le machiniste stoppe le train, que les passagers le prennent par l'épaule et que l'un d'entre eux dise : « Ce n'est qu'une blague, mon petit ! Une blague ! Elle ne s'est éloignée qu'un instant et sera là, ce soir, quand tu rentreras. Elle sera là, et vous danserez. »

Sans le vouloir, le Docteur-qui-ne-savait-plus-soigner regarda silencieusement autour de lui et diagnostiqua une cirrhose du foie sur alcoolisme chronique à son voisin de droite, un trouble anxieux avec anorexie mentale à l'étudiante assise à sa droite, une myopie insuffisamment corrigée à l'avocat en face de lui.

Il les observa attentivement, et ça lui fit quelque chose de bizarre, là, au creux du ventre et au bout des doigts, comme un frisson étrange de son corps vers le corps des autres. Il se demanda s'il avait envie de connaître ces gens et, parce qu'il n'avait pas de réponse, il se jeta à toute vitesse hors de la rame. Il erra dans les rues enneigées, ses chaussures pesant le poids d'une femme aux longs cheveux roux, somnambule du sommeil d'un autre, déjà à moitié mort. La nuit était tombée, le ciel était limpide et les étoiles semblaient glacées. La neige crissait partout. Cela sentait l'hiver et la fin du monde.

En remontant l'allée, Régis le Pêcheur lui adressa un signe de la main franc et amical, auquel il répondit d'un salut, franc et amical. Il était bien content de le voir avant de mourir, oui, bien content, parce que dans le hall il n'y avait personne, dans l'ascenseur, personne, pas âme qui vive dans le couloir non plus. Pour entrer chez lui, il dut défoncer la porte à coups de pied. On ne peut pas vraiment dire que c'est parce qu'il avait perdu les clefs, il ne les avait même pas cherchées. Elles étaient dans sa poche, mais il avait juste très envie de défoncer cette porte. Maintenant, c'était fichu : elle ne fermerait plus du tout.

Quand il pénétra dans l'appartement, il eut l'impression de descendre dans le ventre d'un monstre géant. Les lieux lui parurent sombres et chargés de menaces. C'est alors que la sonnerie d'un téléphone le tira de sa torpeur. Il pensa qu'elle s'arrêterait quand la messagerie prendrait l'appel, mais la personne au bout du fil rappela aussitôt, encore et encore. Un peu groggy, il eut le réflexe de jeter un coup d'œil à son poignet avant de se rappeler que Sarah avait également emporté sa montre – avec tous les téléphones de la maison. Intrigué, il fit le tour de son appartement. Le son se répétait inlassablement, légèrement étouffé. L'homme ouvrit un à un les tiroirs vides de son bureau et trouva un petit téléphone bleu en train de vibrer contre les parois en bois. L'écran indiquait vingt-deux heures trente-sept et l'homme ne put s'empêcher d'esquisser un sourire triste en voyant le nom de Sarah s'afficher. Il se demanda ce qu'elle avait bien pu faire de sa journée… De la peinture sur licorne ? De la pêche, des cours de taxidermie ou, comme elle le prétendait, « du tir à l'arc pour percer de mes flèches le grand mystère de l'existence » ? Qu'avait-elle pu encore inventer en abandonnant cet appareil ici ?

Il décrocha, avec un mélange d'appréhension et de ce sentiment très étranger qui ressemblait à de la joie.

— Allô ?

Il y eut quelques secondes de silence, puis il entendit un gémissement sourd.

— C'est vous, Sarah ? questionna-t-il.

Une voix féminine lui répondit enfin :

— Mark ?

L'homme sut immédiatement avec qui il était en ligne.

— Venez vite s'il vous plaît, c'est ma mère, elle…

— Qu'est-ce qu'il y a ? demanda le Docteur, l'estomac déjà tordu par un mauvais pressentiment.

— Elle est morte.

L'ENTERREMENT

La mort

Mon cher Mark,

Jamais la Mort n'aura connu de duo plus inattendu que le nôtre…

Garce !

Je voudrais la gifler, lui balancer ma désinvolture en pleine tête : « Regarde-moi ! Regarde comment la vieille Sarah meurt ! Regarde ! »

Il y avait une pilule sur le bureau : blanche, légèrement ovale. Laide. Je l'ai regardée longtemps avant de m'en saisir. J'ai fait rouler le néant entre mes doigts comme un quartier de pomme rouge empoisonnée, puis je l'ai avalée.

Savez-vous que la mort n'a aucun goût ? C'est une chose froide : on la glisse dans la bouche, et basta ! On joue avec le bout de la langue, on attend que le plastique autour fonde, perce, délivre son passeport définitif.

La mort ? Un verre d'eau vite avalé !

Je vous dois la vérité – les vérités, devrais-je préciser, car j'ai beaucoup menti ! Qui ne ment pas, de nos jours ? Et aux gens qu'il aime, qui plus est ? Vous vous êtes trop attaché à moi pour m'en tenir grief... Inutile de le nier, vous m'aimez beaucoup : je serai morte, vous serez triste, vous m'excuserez, voilà ! Ayant constaté votre goût pour les meubles ordonnés ou les commodes bien rangées, je ferai ça proprement, petit sac noir par petit sac noir.

— Premier petit sac : ce n'était pas un hasard si mon taxi était sous le figuier l'autre matin. Je vous y attendais. Vous avez mis longtemps à venir : environ sept cigarettes, sans compter celle que j'ai fumée avec vous. Sale coup pour mes poumons !

— Deuxième petit sac : je n'ai jamais eu de tantes et mon seul oncle est décédé très jeune sans détenir le moindre talent. Celui de deviner la mort des gens lui aurait permis d'éviter cette moissonneuse-batteuse. Dommage. (En vérité, il a disparu dans les camps, mais je préfère la version « épisode rural qui tourne mal ». Ne me jugez pas, chacun s'arrange de son mieux avec son passé.) Vous déduirez de cela que je n'ai moi-même ni aptitude ni don surnaturel. La magie existe, il faut la faire soi-même. Heureusement, la poésie aide beaucoup.

— Troisième petit sac : il y a deux ans, à l'endroit exact où vous vous tiendrez en lisant cette lettre, j'ai appris que j'étais malade. J'ai eu droit à la totale : rayons, chimiothérapie et tutti quanti. J'ai vomi, perdu mes cheveux et douze kilogrammes. Tout ça pour que le grand manitou en blouse blanche regarde mes analyses et délivre un hochement de tête aussi rapide

qu'un couperet de guillotine : « Il vous reste deux mois, madame Kokelicöte. »

Je lui ai répondu que je voulais juillet et août.

Il n'a pas compris la blague.

J'ai tenu un an, mon petit.

Cela fait longtemps que les comprimés antidouleur ne me soulagent plus (vous y avez cru, hein, au coup de l'arthrose ?). J'ai beau m'en gaver à longueur de journée, niet ! Je ne veux pas souffrir davantage. Voir son corps s'affaisser lentement sous l'esprit lucide qui le régente... Non, non et non ! Je n'accepterai plus aucune insurrection de sa part. Raison pour laquelle, sans me plaindre et avec élégance, je partirai ce soir.

Mais reprenons.

— Quatrième petit sac : ma liste des dernières choses à faire avant de mourir...

1. Enfiler chacun des jours qu'il me reste une robe de gala différente, et porter un parfum français. Je veux être coquette avant de ne plus être.

2. Regarder un lever de soleil, n'importe où, n'importe lequel, et pleurer parce que c'est incroyablement magnifique, un lever de soleil.

3. Goûter quelque chose que je n'aurais jamais mangé au prétexte que je pensais ne pas aimer ça. J'avais raison pour le rouleau de printemps, c'est immonde. Qui sait ? Peut-être sont-ils meilleurs quand ils sont d'automne ?

Voilà le début de ma liste. Il me semble que vous veniez en huitième position : « Aider un inconnu ayant besoin d'être secouru. » Je l'ai fait avec un brin d'égoïsme : il était moins question de vous aider à retrouver votre magie que de me permettre de revivre la mienne, le temps de quelques jours.

Ce que je veux dire ? Je veux dire que j'avais besoin de vous. Remonter le long des sentiers de ma vie. Trouver le pardon. Pister le jeune peintre noir et la jeune fille à la robe rouge, celle qui a été aimée, celle qui a trahi : notre film, sa tombe, notre restaurant, notre immeuble, le pont où il… Mon printemps revenu soixante ans après ! Je croyais ne jamais pouvoir y retourner sans m'y briser le cœur, mais quand j'y étais, les revoir… mon Dieu ! Juste une fois, juste un instant ! Avoir quelqu'un avec moi n'était pas du luxe. Seule, je n'aurais pas pu. Vous m'avez offert le pardon.

Poursuivons :

— Cinquième petit sac : alors voilà, nous arrivons au cœur de l'histoire que je souhaite vous raconter.

Il est vrai que je n'ai jamais eu de tante, mais j'ai eu une amie. Ce fut une sœur d'armes, la meilleure qui soit. Elle me tenait la tête au-dessus des toilettes quand je vomissais toute la bile de mon corps. En échange, je cachais les cheveux que la maladie lui arrachait pour lui épargner le chagrin de les trouver elle-même sur les draps. Notre rencontre eut lieu dans les jardins de l'hôpital. Elle a souri, je lui ai souri. Il n'y a rien à écrire de plus : l'affaire était dans le sac. Elle me retrouvait dans ma chambre, nous comparions nos vies et ce qui en restait avec l'énergie désespérée des condamnés à mort faisant cellule commune. Un jour, elle s'est écroulée dans mes bras ; en femme amoureuse au-delà de toute expression, elle était terrifiée : elle craignait qu'après sa mort son époux ne soit tenté de la rejoindre. Parce qu'il l'aimait, lui aussi, d'un amour extraordinaire. Savez-vous, mon petit, que ces contes arrivent aussi aux gens ordinaires ?

Rappelez-vous : vous avez tiqué l'autre matin, en me voyant. Mon visage vous a rappelé quelqu'un, n'est-ce pas ? Ne m'auriez-vous pas croisée ces jours où vous lui apportiez des jacinthes ?

Malgré nos précautions, il est possible qu'il y ait eu des ratés, et que vous m'ayez aperçue.

Anastasia eut l'idée la première : celle qui survivrait prendrait soin de la famille de l'autre. Un projet légitime, ne pensez-vous pas ? Entre adultes responsables, soucieuses de préserver la continuité des leurs après leur propre mort, il n'aurait pu en être différemment. Nous avons contracté ce pacte solennel et sacré en nous serrant la main (les bonnes habitudes, me direz-vous !...). Malheureusement, elle est partie avant moi. Quelle injustice ! J'étais plus vieille, plus... prête ? Je ne doute pas qu'Ana aurait aidé mes enfants de toutes ses forces, car c'était une jeune femme admirable à tout point de vue : brillante, attachante, avec plus d'un tour dans son sac... Sa mort m'a littéralement brisée.

Nous avions deux plans :

— celui pour mes enfants si je mourais d'abord.

— celui pour vous si elle me devançait. Je m'y suis tenue « à la lettre ».

Je savais tout de vous : votre absence de famille, votre enfance à l'hôpital, vos désillusions, vos petites compromissions, ce qui s'est passé cette nuit-là dans l'ambulance, celle où cette femme aux longues tresses blanches est morte.

Quand j'ai dit à Anastasia que vous ne vous laisseriez pas faire, que vous refuseriez toutes ces épreuves, elle a ri aux éclats : « Tu ne le connais pas encore ! Il a un énorme défaut : il se croit obligé de toujours honorer ses promesses. Je l'enchaînerai de cette manière : avant de mourir, je lui dirai : "Jure-moi que si quelqu'un vient et te tend la main pour t'aider tu la saisiras. Promets-le-moi !" Je le connais : il me le promettra et avec ce que je t'apprendrai de lui, sur ses goûts, ses fêlures et son caractère, il t'obéira comme un enfant. »

Je n'avais plus qu'à vous cueillir l'autre matin, avec mon bras tendu et mes yeux bleus de vieille mamie bonasse confiturée du cortex (hélas, pas vraiment un rôle de composition. Je suis folle et j'en tire grande fierté). J'ai récité le texte qu'Ana et moi-même avions mis au point et je vous ai passé une jolie bride autour du cou. Sacré jour pour Pinocchio que celui où il a découvert ses ficelles, n'est-ce pas ? Je crains de ne pas avoir réussi à ébranler votre position, et même si cette vérité me désole, j'ai tenu parole. Je pourrais vous dire de ne pas mourir et même l'écrire un millier de fois si j'en avais le temps. Ça ne changerait rien. Vous serez malheureux parce que Ana est morte, parce que je serai morte et que vous lirez cette lettre où je vous parle d'elle et où je m'apprête à vous délivrer son dernier message :

« Tu lui diras, Sarah, à la fin, quand ce sera ton tour de partir, tu lui diras que je l'aime de la tête aux pieds, comme une folle, que je l'aimerai toujours, et que toujours ce n'était pas assez pour nous.

Ensuite, tu lui diras que l'écrivain se trompe : on a toujours droit à une seconde chance.

Enfin, tu lui diras de vivre. »

Voilà. Vous savez.

Il vous reste tant de choses nouvelles à goûter, tant de vœux à faire, de levers de soleil à contempler. Détachez-vous du passé, trouvez la force de détruire ce que vous êtes pour devenir un homme nouveau. Je ne dis pas sans amours ni souvenirs, puisqu'elle sera constamment avec vous. Je dis sans entraves, neuf. Pour reconstruire, il faut détruire…

Avec cette lettre, vous trouverez des photos et quelques cadeaux : ce sont les seules choses que je vous laisse. Prenez-les comme un legs testamentaire. Les secrets qu'ils contiennent serviront mieux que de grandes paroles.

J'ai terminé le long voyage de ma vie en dînant avec mes enfants ce soir. Les deux grands amours de ma vie ont préparé tous mes plats préférés. Nous nous sommes régalés, nous avons ri, nous avons pleuré. Après le repas, ils ont lancé mes chansons favorites et j'ai dansé avec eux. J'ai caressé leurs joues, baisé leur front. Nous nous sommes étreints. J'ai exigé qu'ils laissent le gramophone tourner encore un peu : j'aimerais partir en entendant la musique, parce que la vie est un chant mal fichu et discordant qui ne s'arrête pourtant jamais et que j'ai très peur de mourir en silence.

Là, au moment où je t'écris (voilà que je vous tutoie, à présent !), ils sont au rez-de-chaussée. Interdiction pour eux de monter. Je ne veux pas les voir maintenant.

Charge à eux de vous faire venir ici pour que nous achevions cette agréable semaine ensemble. Ils vous joindront par téléphone, puis passeront chez vous quelques minutes avant l'heure fatidique, tout est arrangé.

Imaginons le tableau : il est très tard, dans la ville tout est noir, vous montez quatre à quatre les marches, vous ouvrez la porte. Je suis assise à mon fauteuil, face aux grands miroirs que j'ai fait installer partout dans ma chambre : je ne veux rien rater. Sous ma main, cette lettre. Sur la vieille coiffeuse, la perruque aux cheveux blancs. Je me serai déshabillée entièrement, je dois me tenir nue devant vous. Ayez un peu d'indulgence : je suis une vieille femme avec un corps de vieille femme.

Voilà notre dernière petite virée, ou notre dernière danse. Je vous cède mon corps. Lavez-moi doucement. Coiffez-moi. Le postiche blanc sera parfait, les autres couleurs, je n'en veux plus, elles ne sont plus de saison. Parfumez-moi, un peu de cannelle, bien sûr. Pas de bague, pas de bracelet. Les boucles d'oreilles sur la table, passez-les-moi : elles étaient un cadeau de Charles. La robe rouge ? Elle est posée sur le lit, et elle n'a pas perdu sa couleur, même après toutes ces années. Et les escarpins noirs, me les passerez-vous ? Habillez-moi. Chaussez-moi. Il n'est question que de ça : prendre soin d'une vieille amie à vous. Ne me laissez pas retrouver mon Charles en trop mauvais état.

Il vous faudra, comment dit-on, déjà ? « bourrer la morte » ? J'ai posé du coton sur ma coiffeuse, quel triste hasard ! Allez, mon petit, faites ce que vous avez à faire ! Retrouvez votre magie ! Comme jadis, lorsque cet infirmier et cette aide-soignante prirent soin de cette femme.

« La plus belle chose » que vous ayez vue ? Le jour où vous vous êtes vraiment senti soignant ? Ce sont vos propres mots ! Regagnez votre don grâce à moi : ce soir, je vous adoube et vous réinvestis.

Je vous rends tous vos souvenirs.

Allez ! Ne me laissez pas comme cela, ne m'abandonnez pas.

J'ai très peur, vous savez ? Oh mon Dieu, oui, si vous saviez comme j'ai peur…

Rappelez-vous qui vous étiez et les raisons qui furent les vôtres de devenir médecin. Regardez-vous dans tous ces immenses miroirs. Nulle part où échapper à cette image ! Votre dernière épreuve est là, dans le reflet de cet homme qui prend délicatement soin de moi et que je vous oblige à voir.

Est-ce cruel ? Oui.

Est-ce nécessaire ? Oui.

Mais c'est la vérité nue ; la fin d'une route.

Vivre... Quelle chance ! Pensez à cela : je suis devant vous tel un miroir tendu de la mort vers la vie.

Un nourrisson et un cadavre face à face. La plus vieille histoire au monde !

Soupesez la lourdeur de mes membres, la pesanteur de mes bras et la flétrissure de mes chairs ! Observez comment, loin des miens, je serai aussi glabre et nue que vous l'êtes. Cette peau sans poils, c'est à la maladie que je la dois, mais vous, mon petit, je vous remets au monde une seconde fois. Ce soir, je suis la mère que tu n'as jamais eue et je t'oblige à renaître.

Teddy Bear, c'est la fin : je ne marcherai plus sous le soleil des hommes. Ma main s'alourdit, mon corps me trahit.

Je crains de ne pouvoir finir cette missive à temps, ni d'y exprimer toutes ces choses importantes qui me tiennent à cœur. J'ai peur de la mort et de partir sans avoir tout dit.

Je vais te laisser, mon petit. Te laisser vivre. Je t'ai menti, le premier jour : je ne connais pas le sens de l'existence et je peux résumer tout ce que j'ai appris sur la vie en deux mots : elle continue.

Ne m'en veux pas pour ce dernier tour que je te joue. Ne sois pas triste pour moi : je rentre à la maison retrouver de vieux compagnons que j'aime, des amis qui m'ont quittée trop tôt. Et j'ai un artiste à aimer.

Vis !

Post-scriptum : l'amour que tu as pour elle, je peux le lui apporter de ta part. Ta mort, je te la vole. Reste en vie pour les autres, tous les autres !

Ils en ont vraiment besoin, qu'est-ce qu'ils sont bêtes ! Qu'est-ce qu'ils sont beaux ! Qu'est-ce qu'ils sont

Le ventre bleu du monde

Ils l'enterrèrent la veille de Noël, en début de matinée.

L'église était bondée et les enfants de Sarah, serrés l'un contre l'autre, firent signe au Docteur de les rejoindre. Dépourvu de ses artifices, le vendeur de pompes funèbres était cassé en deux. Ils se donnèrent l'accolade sans hésitation : « Je sais que c'est aussi un peu ta morte qui est couchée là… » lui dit-il, et le Docteur trouva ces mots horriblement vrais.

La fille de Sarah se hissa sur la pointe des pieds, l'embrassa sur la joue.

Impossible de quitter le cadavre des yeux pendant la cérémonie. Il portait, collé contre le ventre, une petite valise en carton bleu qui jurait avec le rouge flamboyant de la robe. Cet accoutrement – quelque peu ridicule pour une vieille dame – lui donnait l'air d'une petite fille flottant entre deux eaux et frappait profondément l'imagination.

Elle est morte noyée, pensait-on en la voyant, et elle a pris cette valise pour une bouée. Comme elle s'y accroche !

Le Docteur trouva le cercueil trop petit, car dans son esprit la vieille dame était plus grande que dans la réalité. Avant la fermeture de la bière, le fils de Sarah glissa dedans un petit bocal de terre et un coq en plâtre multicolore. Cela produisit un bruit sourd en tapant contre le teck. Il se réfugia dans les bras de sa sœur.

« Une farce, pensa le Docteur, on me fait une terrible farce. » Le cercueil était celui qu'ils avaient choisi ensemble, Sarah et lui, le troisième jour.

Avant la fin de l'office, une dame remonta l'allée en direction de l'autel. Le visage défait, elle s'approcha du micro et trouva le médecin du regard. C'était la mère du petit Henry. Elle lui adressa un signe de main bienveillant :

— À partir du jour où mon fils est tombé malade, les occasions de sourire se sont faites rares. La femme qui est couchée devant vous a été là jusqu'à la fin, soutenant mon fils, le faisant rire en déployant des trésors d'imagination. Elle a été ce qui lui manquait le plus : une amie, une confidente, un compagnon d'armes. Nous ne pouvons pas comprendre le lien indéfectible que nouent les gens malades entre eux…

La femme s'arrêta, revint plonger ses yeux dans ceux du Docteur.

— … Nous ne le pouvons pas, car nous avons du temps, des secondes, des minutes et des heures… Parce que nous sommes ceux qui restent quand la maladie passe.

Après elle, d'autres gens vinrent bénir le corps et témoigner. Puis on la porta vers le saule, et dans ce trou où Sarah avait renversé un seau vide. Elle avait ri aux éclats alors. « Au printemps, Teddy Bear, nous viendrons cueillir des fraises pour en faire un gâteau… » Elle savait déjà que cette tombe ne serait pas celle de l'homme à ses côtés.

La bière y glissa « comme l'épée dans son fourreau », et l'idée que sa vieille Sarah entre parfaitement dans ce trou parut au Docteur d'une si intolérable cruauté qu'il se passa quelque chose d'important : il pleura. Les gens diraient « comme une merde ». Ça lui fit du bien de pleurer comme une merde. Je pense que Sarah aurait été contente de produire cet effet-là. La veille, il avait fait les choses très simplement en prenant soin de son corps. Sans une larme. Mais là, c'était différent, il y avait un trou et la vieille dame était dedans.

Il y jeta une rose en marmonnant des paroles inaudibles. Le Docteur montra la pierre tombale à la fille de la magicienne. Dessus, il y avait écrit : « Souviens-toi de ce que la Vie donne », et un prénom que le Docteur ne connaissait pas.

— Elle ne s'appelait pas Sarah ?

— De toute évidence, fit-elle.

Mouvement du menton vers la tombe.

— Elle était vraiment riche ?

— Plus que ça, Mark.

— Riche comment ?

— Comme la vie.

— Et elle n'était pas chauffeur de taxi ?

— Encore une évidence, Mark.

— Je ne m'appelle pas M… commença-t-il avant de laisser tomber : cela n'avait plus d'importance. Elle pouvait bien l'appeler Théodore, Arthur ou Mark. De toute manière, il ne savait plus qui il était.

— C'est une loi universelle que d'emmener quelqu'un quelque part sitôt qu'on le côtoie, dit-elle. Elle a côtoyé beaucoup de monde.

Toutes ces zones d'ombre… ces inconnues qu'il abandonnait derrière lui et qu'il ne découvrirait jamais… Il y avait aussi écrit « Lady » sur la tombe.

— Elle a été anoblie pour avoir sauvé l'Angleterre trois fois et demie, expliqua sa fille.

C'était probablement faux, mais cela apaisa le Docteur : ce mensonge, c'était comme si Sarah vivait encore.

La jeune femme devina son trouble.

— Ne vous reprochez rien. Les moments qu'elle a passés en votre compagnie, elle les voulait. Tous. C'était ma mère, souffla-t-elle avec fierté. Une femme de parole. Elle disait : « Il n'y a pas d'étrangers en ce monde, seulement des amis qui s'ignorent encore. »

Elle marqua une pause, ramassa une poignée de terre qu'elle effrita lentement sur le sol.

— Dans la lettre qui m'était destinée, elle a demandé à être enterrée sur le ventre et que son cercueil soit placé au-dessus de celui de Charles. Elle veut le regarder le temps qu'il faut à la mort pour se changer en infini, et elle compte le passer tout entier avec lui. Ils ont des couleurs à chercher. La municipalité a refusé, ce n'est pas « homologué ». Nous reviendrons donc cet été, quand la terre sera meuble. Nous sortirons son cercueil, nous retournerons son corps et nous ferons selon ses volontés. En secret. Le gardien est un ami, il nous aidera… Serez-vous là ?… demanda-t-elle en laissant volontairement la fin de la phrase en suspens.

Silence. Le Docteur pensa à sa femme.

— C'est vraiment pour ce soir ? continua-t-elle en comprenant.

— Vraiment, lâcha-t-il difficilement, avec le même effet qu'une vanne qui s'ouvre brutalement.

— Comment pouvez-vous en être si sûr ?

Il ôta son bonnet et montra son crâne chauve.

— Il n'y a plus rien, ici, pour moi.

Elle porta un peu de terre à la lumière du jour, l'inspecta avec attention avant de la fourrer dans sa poche. Quelque chose en elle témoignait de la même bizarrerie de caractère que sa mère.

— Avez-vous déballé les cadeaux de ma mère ?

Le silence du Docteur eut valeur d'assentiment.

Il en avait sorti un passeport neuf et un billet d'avion enveloppé dans du papier de soie, celui-là même qu'elle était allée chercher à l'aéroport le quatrième jour suivant leur rencontre. Il avait peur, il était triste, il craignait de changer d'avis, il n'avait donc ouvert ni l'un ni l'autre. Plusieurs photographies s'étaient échappées du paquet : celle de Charles et une série de polaroïds. On voyait Sarah et Ana, dans la chambre, se serrant dans les bras l'une de l'autre. Plusieurs autres photos les montraient dans les jardins de l'hôpital. Six petits trous sont creusés dans le sol devant elles, un sac avec des graines de citrouille entre leurs mains. Sur un cliché, il est en train de dormir sur un fauteuil, Sarah se penche sur lui, elle sourit du tour de magie qu'elles vont lui jouer toutes les deux, un doigt posé sur la bouche pendant qu'Ana appuie sur l'objectif. D'autres photos, encore. Mais sans aucun sens. Une marelle dessinée à la craie. Le premier carré contient un 1 et les carrés qui suivent se déroulent sur le chemin sans jamais se terminer : 34… 677… 3 455… jusqu'à l'horizon où ils disparaissent. Puis des images de fenêtres, d'avions et de continents, de la Terre vue de l'espace, de galaxies qui s'éteignent et de galaxies qui naissent. Des nuages cosmiques dilatés puis contractés, des constellations, des chenilles mortes et des papillons, des atomes, des molécules, des bébés qui viennent au monde, des vieillards malades sur des lits d'hôpitaux…

— Que contenaient-ils ? demanda sa fille.

— Une ultime tentative pour me faire changer d'avis.

— Cela n'a pas fonctionné.

Il lui tendit la lettre avec le passeport et le billet. Elle la refusa, il la remit dans son manteau. Que pouvait-il lui dire ? Comment parler de la Mort aux vivants ? Parler aux morts, ça, il l'avait assez fait comme cela, mais l'inverse ? Son regard tomba sur la terre endormie sous la neige. Au printemps, tout renaîtrait.

— On dit que la nuit, dans le désert, une sorte de grondement étrange naît du choc des grains de sable entre eux. C'est à cause du vent : il les fait rouler les uns contre les autres en cadence et c'est comme le bruit d'une vague qui ne cesserait jamais de se briser. On n'imagine pas ça ici, n'est-ce pas ?

Il fit un geste englobant tout le paysage blanc devant eux. Le désert était partout depuis que sa femme n'était plus là. Il entendait ce grondement, encore et encore, à chaque instant. Il ne le quittait jamais, c'était épuisant. Il ne voulait plus entendre le vent souffler sur un monde sans elle.

Il baissa la tête, la releva brusquement, à droite, puis plus haut, vers le ciel. Il occupait très mal son corps : les limites lui en paraissaient trop petites, et ses mouvements étaient devenus ceux d'un étranger. Il avait déjà commencé à se quitter lui-même ; il mourait.

— Je ne veux plus entendre et je ne veux plus de bruit.

— C'est Noël, tenta-t-elle, on ne meurt pas le soir de Noël. On lit des contes.

— Bien sûr que si, on meurt. Mais c'est plus triste.

— Il y a des fous qui disent qu'il ne faut jamais baisser les bras, car on risquerait de le faire deux minutes avant le miracle…

— Je l'ai déjà attendu sept jours, votre miracle.

— Et s'il venait le huitième ?

— Non. C'est fini maintenant.

— Je suis persuadée qu'il y a toujours un instant où, dans la vie d'un homme, un simple taxi peut faire la différence. Au bon moment, au bon endroit, le bon conducteur, un hasard formidable ?

— Ce n'était pas vraiment un miracle si votre mère m'attendait…

— Vous avez raison, dit-elle d'un air entendu, c'était un rendez-vous.

Il la serra contre lui, s'apprêta à faire demi-tour, se ravisa.

— Tout à l'heure, en jetant cette rose, voulez-vous savoir ce que je lui ai dit ?

— Quelque chose de triste ?

— Bien au contraire, je lui ai promis que je la voyais demain.

Silence.

— Et je tiens toujours mes promesses.

Retour sous le figuier

Il jeta sur ses épaules le vieux manteau moisi du mari de Sarah. En rentrant de l'enterrement, il voulut s'arrêter un instant au pied de son immeuble. Les rues étaient interminables et il avait les jambes cassées de fatigue.

Avisant la guérite en carton où Régis le Pêcheur attendait l'aumône, il s'y échoua un instant. Le Roi n'y était pas.

« Étrange, pensa l'homme, quand je ne savais pas qu'il existait, il était là, et maintenant que je sais qu'il existe il est toujours absent. »

Il regarda cette sorte de cabane : il n'y avait rien dedans, et pourtant il s'y sentait vraiment… comment être précis… vraiment à l'abri ? Oui, voilà : à l'abri de cette sorte de monde qu'on nous promet enfant, protégé de cet espace qu'on voudrait conquérir adulte et qui peut s'enfermer dans quarante-six sacs-poubelle en plastique noir d'une marque bon marché.

Le Docteur prit la place de Régis. Ses fesses se mouillèrent au contact de la neige. Il avait froid et chaud, il avait faim, il n'avait rien et il avait tout, il ne savait plus qui il était. Un homme ? Un clochard ? Un roi ? Esclave ? Libre ? Qu'était-il, au fond ? Qu'avait-il jamais conquis ? L'enfant qu'il était, plein de rêves, ayant soif de liberté et d'aventures, qu'était-il devenu ? Quand était-il mort ?

Il ferma les yeux. Tout ce qu'il vit lui appartint. Les mots de la vieille résonnèrent à ses oreilles. « Il n'est jamais interdit de dire non à la personne qu'on est devenue, d'espérer mieux, changer et, peut-être enfin, se rencontrer soi-même. »

Il retira ses souliers un instant, il voulait avoir froid au gros orteil de son pied droit une dernière fois… Au gros orteil de son pied droit exactement. La neige tombait pile au bout de ses pieds nus. Ses talons saignaient d'avoir trop marché.

Il examina ses chaussures de plus près en se disant qu'il allait devoir en changer. La neige, ça ne pardonne pas.

Une petite pièce roula jusqu'à heurter ses semelles.

— Je suis désolé, c'est tout ce que j'ai.

C'était son voisin, celui-là même qui avait pesté huit jours plus tôt lorsque Sarah avait refusé de le prendre dans son taxi.

Le petit bonhomme rentra chez lui à la hâte, effrayé par le Docteur, qui venait d'être pris d'un fou rire incontrôlable. Sous le figuier, il ne cessait de répéter : « Il ne m'a pas reconnu ! Il ne m'a pas reconnu ! Il ne m'a pas reconnu !… »

À vrai dire, le voisin ne l'avait même pas regardé.

Et le Docteur riait, riait encore et encore, d'un rire spontané et sonore, sans pouvoir s'arrêter.

Il était devenu un homme nouveau, chauve et libre.

Il était devenu fou.

Ses mocassins étaient fichus.

ÉPILOGUE

La légende de Mark Andeya

Voilà comment s'est terminée l'histoire du Docteur et de la vieille Sarah, et comment a débuté la mienne, celle de Mark Andeya le Joyeux, l'homme qui marche, Celui-qui-se-souvient.

Je suis né une nuit où la magie a frappé très fort au carreau de ce monde. Un seul coup, mais il fut prodigieux.

Presque un cri.

J'ai ouvert les yeux.

Je suis né et un autre homme est mort. C'est la plus ancienne histoire du monde et, si je la racontais, je dirais que c'était un soir de Noël, au cours d'une nuit de glace et de tempête.

Cela sentait la poudre, la cannelle et le lait. J'ai ouvert les yeux. La neige tombait en gros tourbillons, remplissant le ciel de petites fées blanches et silencieuses.

Silencieuses…

Du vent, du blizzard et des bourrasques, je n'entendais rien. Je suis né sourd, le tympan gauche percé par le choc sonore de ma naissance. J'ai porté ma main à l'oreille, vers ce bourdonnement incessant qui me vrillait la tête en deux. Sur mes doigts, j'ai récolté du sang et ce sang était comme le liquide secret des mères quand à force de cris et d'efforts elles mettent au monde un nouvel être humain.

Il y avait, posé devant moi, un billet d'avion et un passeport neuf avec un nom et un prénom que je découvrais pour la première fois. Mon visage y était accolé. J'en ai déduit que c'était moi. Il y avait aussi une médaille en argent de saint Christophe.

Ce nom et cette médaille m'ont fait rire et pleurer.

Est-ce étrange de rire et pleurer quand on vient d'arriver au monde ?

J'ai attrapé la lettre, le rire et les sanglots, et j'ai quitté cet endroit. Il n'y avait rien d'autre à prendre, alors je n'ai rien pris.

Je me sentais reposé.

J'étais bien.

J'étais né.

Dehors, les flocons dansaient comme le lait dans un thé très noir. On aurait pu téter la peau du ciel nocturne et s'en trouver immensément heureux, tel un nouveau-né collé au ventre de sa mère.

Il y avait des grilles, je les ai passées comme si elles n'existaient pas.

Une voiture bleue, en réalité un taxi jaune mais que le froid du monde rendait bleu, ronronnait sous la tempête de neige. Il m'attendait. Je n'ai pas articulé un mot. La conductrice a démarré. Il m'a semblé la connaître, mais c'était improbable : j'étais au monde depuis dix minutes à peine.

Mon chauffeur a profité d'un feu rouge pour se retourner et me tendre plusieurs photographies. Côte à côte, deux femmes chauves et belles sont en train de trafiquer les chargeurs d'un revolver. Un chargeur est devant six grosses citrouilles tandis qu'elles vident les cartouches du deuxième et les remplacent par d'autres balles.

— Des balles à blanc ?

— Oui.

Silence.

— Vous comprenez ?

— Oui.

— Alors vous ne serez plus jamais triste.

— Plus jamais.

On a roulé longtemps. Je me laissais bercer par les lueurs de la cité endormie en me faisant la réflexion que c'est vraiment très beau, une ville, la nuit, et que c'était la première fois que j'en voyais vraiment une.

— Merci, ai-je dit en arrivant à l'aéroport.

La jeune femme au volant est sortie sans un mot, a repris les photos : « Vous n'en aurez plus besoin, Mark. » Elle m'a aidé à me redresser, a refermé mon manteau et boutonné mon col.

J'ai regardé derrière moi. Les gens, les lumières, tout s'agitait sans faire le moindre bruit, un chaos serein.

J'avais un peu peur.

Mon chauffeur m'a fait un signe de tête, comme un encouragement. J'ai hésité, alors elle m'a poussé vers la lumière.

Je suis entré, j'ai donné billet cartonné et passeport à l'homme au guichet qui a vérifié mon identité.

— Monsieur Andeya ? Mark Andeya ? a-t-il prononcé en lisant mes papiers.

J'ai fait signe que je n'entendais rien de ce qu'on me disait, il a griffonné un mot sur une feuille, a tapoté la montre à son poignet : « Dépêchez-vous, vous êtes en retard… »

J'ai souri.

Maintenant j'habite un peu partout, mais plutôt de l'autre côté du monde. Je suis sur les routes et je marche beaucoup, de village en village, de ville en ville. Je m'arrête dans les hôpitaux, et les parents viennent. Les enfants courent autour de moi. Après les opérations, je les réunis tous et je leur raconte des histoires. De vieux mots viennent, je leur parle d'une princesse aveugle, d'une vieille magicienne qui combat un dragon et le transforme en cendres. Il y a un chevalier qui n'a plus la force de se battre, des labyrinthes interminables, une grande et noble histoire d'amour. Je leur parle de pays en flammes, puis de paix restaurée. Les enfants écoutent, rient, pleurent, tremblent, crient, et sitôt l'histoire terminée la redemandent encore et encore. Je le fais parce que c'est important, les contes. Ça parle de la vie et du courage qu'il y a à s'y aventurer.

J'existe chichement, mange peu, me couche tôt. Je n'ai pas de bureau, pas de papier et aucune coupelle à remplir. Je n'ai que le lit qu'on me prête. Les habitants des villes que je traverse m'aiment bien : je les soigne et en échange ils m'invitent à boire le thé. Nous y parlons du vaste monde. Deux tours qu'on pensait invulnérables sont tombées. Des avions, des flammes, des ruines et une blessure immense.

— Ils sont en train de reconstruire, assurent-ils, elles seront plus grandes et plus prestigieuses qu'avant.

Je me passe la main dans les cheveux. Ils sont longs, plus épais. Puis je réponds que c'est bien, qu'il faut toujours reconstruire ce qui a été détruit. Il le faut absolument. Ce serait terrible, sinon… Où danserait-on la nuit ?

La nuit, je rêve beaucoup.

Je marche encore et encore, dans des champs impossibles. Des roses, des jacinthes et des orchidées. Je vais à la rencontre d'une jeune femme rousse. Elle a un doigt posé sur les lèvres et, dans son autre main, elle tient une petite boîte rouge dans du papier de soie.

J'ouvre : une longue lettre, un vieux pistolet pacifique, et pour ultime cadeau un chargeur qui se transforme en neige, puis en eau, puis en… je me réveille brusquement ! La vie me rattrape déjà. Ici, les nuits sont trop claires, trop chaudes, le sommeil peut vous fuir jusqu'au matin. Je tourne dans le lit, mais cela finit toujours de la même manière : j'allume la lumière et je relis « L'aventure de la vieille dame heureuse et de l'homme qui allait mourir ». Ensuite je quitte la chambre, je vais sur les chemins, je vais sur les sentiers, après la ville, dans la campagne, et vers la mer. Je marche sous les étoiles, encore et encore, tout droit jusqu'au matin. Le soleil monte loin, là-bas, à l'horizon, les étoiles pâlissent, je lève le front vers le ciel, vers cette vie qui est la mienne, cette vie que j'aime et redécouvre neuve, inédite, recommencée. Je ferme les yeux. Quelque chose enfle en moi. Une certitude immense qui me tient droit et heureux. La joie de savoir qu'une route existe quelque part, ici ou ailleurs, à chaque carrefour, si on le veut, une route immense avec un taxi jaune où une vieille dame fume en nous attendant.

Il suffit de mettre les mains dans ses poches, de vider leur contenu sur le sol, de remettre les mains dedans puis, sur un air de jazz, de mimer quelques pas de danse et de partir en avant.

FIN

REMERCIEMENTS

Ce livre est, comme le premier, dédié à Amélie. Je continue de te continuer.

À Augustin, l'enfant-gris.

Aux cinq piliers de ma vie qui me supportent dans les excès comme dans les manquements que je leur témoigne, et qui savent (presque) tout ce que je cache.

À mes tantes d'adoption qui veillent sur moi comme des grandes sœurs et dont l'affection et la gentillesse me sont aussi précieuses qu'une bouée dans la tempête (Héloïse Guay de Bellisen et Laureline Amanieux).

À mes oncles d'adoption qui veillent sur moi comme des grands frères (François R. et Yann M.).

Pour Claudia S., Catherine A. et Muriel R., toujours là, qui m'ont infligé de sérieuses corrections. Merci de votre soutien et de vos remarques.

Pour Véronique et Aline, de belles personnes, et de beaux fous rires.

À mes amis, Yann P., Fonzy, Pussy, Sebastien x 2, Annais, Marine, Boud (belle et trop grande personne), Marine, Solveig, Claire, Dede, Myriam, Olivier, Mathias, Will, Kiki, Valentin, la Fine équipe au complet, prof. Stéphane O., Florian le Magnifique (œil pour œil, dent pour ?), Camille le Raffiné et Samuel le Pirate.

À tous les lecteurs de mon blog, qui suivent mes péripéties d'apprenti Docteur ! Merci de me lire et de participer à cette belle aventure avec moi.

http://www.alorsvoila.com

À Katell, Pascal de Auch, Nathalie Couderc, Christian Thorel, Hélène Boyeldieu, l'équipe d'Ombres blanches, le Furet du Nord, L'Armitière, et mes chouchous Justine, Claire et bien entendu la génialissime Estelle. Les libraires ont besoin des lecteurs, les lecteurs ont besoin des libraires. Merci à eux, ces héros qui rendent le monde et nos humanités plus compréhensibles.

À la maison d'édition Fayard, qui est la preuve vivante qu'on peut aussi se sentir chez soi ailleurs que dans son Sud natal. Je ne saurais trouver équipe plus formidable, car un livre ne s'écrit jamais seul. À tout le monde, chez Fayard – Alexandrine Duhin (bien sûr, tu sais tout…), Marie Lafitte, Pauline Faure, Carole Saudejaud, Ariane, Anna et Véronique (les pourvoyeuses de bonnes nouvelles),

Maryline, Diane, Florence, David, et bien sûr Sophie de Closets et Sophie Charnavel (finalement, nous l'aurons fait, ce livre ensemble !). Et tous ceux qui œuvrent dans l'ombre…

À Benjamin et Isodore Juveneton, parce qu'une promesse est une promesse. Dans dix ans au MoMA. Courez voir son site, c'est une merveille :

http://adieu-et-a-demain.fr/

Pour ceux qui ont été touchés par l'histoire de Mārkandeya, vous pouvez continuer votre lecture en lisant l'extraordinaire traduction du *Mahabharata* par Jean-Claude Carrière. Cet homme a fait un travail remarquable et inouï. Merci à lui.

« Toute existence se constitue par une suite ininterrompue d'"épreuves", de "morts" et de résurrections, quels que soient d'ailleurs les termes dont le langage moderne se sert pour traduire ces expériences », Mircea Eliade.

DÉCOUVREZ UNE NOUVELLE INÉDITE DE BAPTISTE BEAULIEU

La mort est une garce

Si vous voulez savoir, maintenant que je suis mort, je pense beaucoup.

À dire vrai, je n'ai pas fermé l'œil de la nuit. Je sais que ce trait d'humour est facile, mais si vous saviez ce qui m'attend, vous m'excuseriez.

Pour passer le temps jusqu'au matin, je me focalise sur des choses positives. Je repense à ma vie : succès, voyages, fêtes, le champagne que j'ai bu, celui que j'aurais dû boire, les gens que j'ai connus, aimés, détestés, trahis, célébrés, tout ça tout ça... Vous feriez pareil à ma place et, tout comme moi, vous trouveriez que la vie passe incroyablement vite. On naît avec un petit livre sous le bras. Il y a un prologue et un épilogue. Entre les deux, c'est une question d'épaisseur.

L'une des choses auxquelles j'ai le plus repensé cette nuit, c'est ce lointain matin d'avril, en deuxième année, à la faculté. J'étais devant la porte du bâtiment d'anatomie, je portais ma blouse blanche d'étudiant en médecine et j'allais pratiquer ma première dissection.

Aïe ! Je vous ai vu sursauter ! Il pique, hein, ce mot ? « Dissection » !

Imaginez cinquante internes en train de claquer des dents, qui ont « très-très-très-envie-mais-un-peu-peur-quand-même ».

Je me souviens que nous avons dit beaucoup de conneries avant d'entrer dans la salle ce jour-là. Il y avait Marie B. (la plus belle nana de la fac, elle balayait le sol devant elle avec ses cils longs comme la queue d'un paon), et aussi Diane (des avis tranchants, une voix à manger des clopes plutôt qu'à les fumer, elle était à l'humour noir ce que Ricco Siffredo était à l'industrie pornographique : incontournable), et tout plein d'autres gens dont j'ai oublié le prénom.

De toute façon, ils sont probablement enterrés depuis longtemps, car je suis mort très vieux grâce à une excellente hygiène de vie : un régime à base de tabac, de bonbons sucrés, de charcuterie salée et, surtout, un refus total de la moindre pratique sportive autre que l'ouverture de boîtes d'ananas en conserve et de bouteilles de scotch. Que voulez-vous, la vie est injuste !

C'est Marie B. qui parla la première, d'une petite voix étranglée par la peur et le froid.

— Vous connaissez l'histoire de cette étudiante parisienne ? Elle entre dans la salle, elle voit les corps allongés sur les tables et, quand elle soulève le drap, BLAM ! C'était sa mère ! Vous vous rendez compte ? Sa mère ! Et elle n'était même pas au courant !

Je la corrigeai aussitôt :

— Mais non, ce n'était pas à Paris, c'était à Strasbourg ! Ou à Marseille ! Et c'était son grand-père...

— N'importe quoi ! fit Diane, c'est une légende urbaine. Cependant – et je le sais de source sûre –, il paraîtrait que, à Tours, un professeur d'anatomie serait devenu fou. À tel point qu'il aurait caché le corps de l'amant de sa femme parmi les cadavres destinés à la dissection. Le crime parfait ! Sa femme, il l'avait...

J'avais alors coupé la parole à Diane en disant :

— J'ai un peu faim… Vous n'avez pas faim, vous ?
Diane fit :
— On se prendrait pas un petit café ?

Au moment précis où nous allions faire demi-tour et nous diriger vers la buvette, un homme assez gros s'avança depuis l'intérieur du bâtiment, puis déverrouilla la porte vitrée avant de nous faire signe d'entrer. Nous nous regardâmes tous dans le blanc des yeux. Personne n'osait. C'est Diane, courageuse Diane, qui fit le premier pas.

— Ce n'est pas une fois qu'on a fait dans son pantalon qu'il faut serrer les fesses ! fit-elle.

Je ne sais pas pour les fesses, mais elle serrait ses poings très fort. Je lui emboîtai le pas en riant et, me donnant des airs, j'assénai tout haut la sentence suivante :

— Trêve de bavardage, il est temps de couper dans le vif.

Voilà, vous qui me lisez, quelques morceaux choisis de ce qu'on put entendre ce jour-là. Sans jeu de mots, croyez-moi, les vrais morceaux arrivent après.

[À ce moment de notre récit, les *aficionados* de jambon serrano et autres passionnés de charcuterie devraient interrompre leur lecture.

Ce dont je me souviens le mieux, ce sont de vagues relents de jambon espagnol. Oui, messieurs-dames, le corps humain mort sent le serrano et les tapas froides. De mon vivant, cela m'amena à développer une théorie très personnelle et farfelue : quel que soit notre pays d'origine, qu'on soit malgache, indien, suédois ou boukistanais, quand on meurt, on devient *ipso facto* espagnol… Regardez-moi, je n'ai jamais étudié un seul mot d'espagnol de mon vivant et, pourtant, je peux vous dire sans une pointe d'accent : « *Buen amigo es el gato, sino que rascuña* ! » Si cela n'est pas une preuve...]

Avant même d'avoir vu les corps sur les tables et sous les draps, la sublime Marie B. dégaina de l'huile essentielle de clous de girofle, en imprégna un mouchoir, le plaça sous son nez. Elle m'en proposa un, j'acceptai sans me faire prier. Touché par tant de délicatesse, je lançai à la belle un sourire qui signifiait exactement : « Je vais me marier avec toi, vivre soixante ans de vie commune heureuse, et nous ferons ensemble trois enfants qui s'appelleront Roderik, Eudoxa et Pétronille, qui nous donneront dix-huit petits-enfants ! Ils s'appelleront Asmodée, Conception, Guillaumette, Victorine, Ursula, etc. »

Quand je détachai mes yeux de son regard, je constatai, stupéfait, que la mort sentait maintenant le jambon fumé aux clous de girofle. J'aurais préféré de l'huile essentielle de melon, plus en accord avec le menu du jour...

La mort me rend très volubile et je saute d'une idée à une autre, dans l'espoir d'échapper à cette pensée du néant qui me guette.

Ce que je pourrais vous dire de cet endroit ? Visualisez une grande salle blanche (réfrigérée), une douzaine de tables où des draps verts cachent douze silhouettes de taille et de corpulence différentes.

Par peur, ou par prudence, je choisis la plus petite et pris place auprès de Diane. C'était une alliée précieuse, qui réussissait toujours à tout dédramatiser... Lors d'un cours sur les violences faites aux femmes, elle avait prononcé cette phrase à prendre au trentième degré, mais qui nous avait permis de décompresser : « Comme disait papa : c'est pas un viol si tu cries "surprise" avant ! » Il y avait eu des exclamations indignées dans l'assemblée, et Diane avait ri aux éclats en ajoutant : « Tape ta femme, si tu ne sais pas pourquoi, elle le sait. »

Tandis que je vous raconte cette anecdote, je ne peux m'empêcher d'éprouver un pincement au cœur en pensant que Diane épousa quelques années plus tard un homme qui la battit comme plâtre durant presque trente ans, jusqu'à une nuit terrible où, de guerre lasse, elle se vengea avec de l'insuline et du chlorure de potassium. Pourtant, le jour de leur rencontre, Diane m'assura avoir éprouvé ce qui se rapprochait le plus de la définition d'un coup de foudre, selon elle :

— Je suis là, tranquille, je me retourne, et là, BLAM ! je le vois ! Et quand je le vois, tu sais quoi ?

— Non, Diane, je ne sais pas.

— J'ovule.

Diane était très...

[Excusez-moi, je dois interrompre mon récit une minute, ça me démange dans l'oreille. Heureusement que le lieu où je repose est d'une propreté sans égale, sinon je pourrais croire qu'une mouche vient de pondre dedans. Ne prenez pas cet air dégoûté : ça a certainement dû arriver à des camarades... Dieu m'en préserve ! Bref, revenons à notre cadavre.]

J'ai soulevé le drap.

Quelle ne fut pas ma surprise !

Alors voilà, c'est ça ? Le corps ? Nous ? L'Homme ? C'est ça ? Ce mannequin mou qui sent le cochon espagnol ? Einstein, Socrate, Beethov', Michel-Ange ? C'est ça ? Ce morceau de viande qui pense, peint, sculpte, se passionne et fait la guerre ?

Attention (roulements de tambour et trompettes) RÉVÉLATION : si nous sommes bien des choses compliquées, nous procédons d'abord d'un bon gros tas d'atomes de carbone agglomérés pour le meilleur et pour le pire (ce que nous pourrions résumer par : « Tout philosophe et génie qu'il fut, Socrate aussi avait une rate, faisait caca et se grattait là où ça le démangeait »).

Diane me désigna la main du mort :

— Regarde !

Me penchant sur le corps, je vis deux petits champignons qui poussaient dans le creux de sa paume. Comme des girolles (je me demande s'il y en a déjà sur le mien, tiens ! Il y aurait un livre de jardinage à écrire : *De l'intérêt d'avoir des corps à planter dans un sous-bois pour y cultiver des cèpes*).

Je lançai à mon intrépide collègue :

— Oui ?

— Regarde plus près.

— Et ?

Soudain, le doigt du mort fut agité d'un soubresaut impossible et me sauta à la figure. Je hurlai, tout le monde se tourna, Diane explosa de rire, retira la pince qui serrait le tendon fautif quand, tout à coup, Marie B. devint pâle comme la mort et s'assit dans un coin – blême, tremblante, pauvre dame aux camélias tombée sous les effluves de serrano *y patatas bravas.*

J'aimerais croire que c'est moi qui lui fis cet effet-là, genre coup de foudre et compagnie. Eh bien non ! C'était le jambon fumé et la mauvaise blague de Diane. Même si, pour être honnête avec vous, il s'avère que, au final, j'ai quand même eu la plus belle fille de la fac...

Marie B. et moi, soixante ans d'amour, oui, mais baptisés par l'odeur des macchabées ! Le froid de la pièce, les draps sur les corps, l'heure très matinale, cela dut déclencher quelque chose chez elle et chez moi, comme un stress au niveau des gonades, un microtraumatisme psycho-gonadique à cause duquel mon testicule encore jeune et son ovaire encore fonctionnel s'envoyèrent des messages chimiques signifiant : « Vite, vite, reproduisons-nous, on peut mourir demain comme ceux que vous allez disséquer... »

Cela fonctionna à merveille : nous avons eu dix petits-enfants, et notre première attend notre premier arrière-petit-fils, qui devrait arriver très bientôt. Malheureusement, je ne serai pas là pour le voir. La mort est une garce ! Pour le bien de l'humanité, ce fut Marie B. qui choisit les prénoms de nos enfants. Elle trouvait mes propositions trop « originales »...

À l'époque, j'étais plein d'illusions et très passionné (la fougue de la jeunesse, les hormones, la stupidité, patati-patata...).

Aussi, ce matin-là, j'osai poser cette question très stupide au professeur d'anatomie :

— M'sieur, pourquoi ils ont un numéro écrit au marqueur sur le front ?

— À ton avis ? Pour la traçabilité.

Ah, oui, on trace les morts, des fois qu'il leur prenne l'envie subite de se carabiner à la foire du lancer de saucisses de Francfort...

Nouvel élan de saine révolte :

— Ne pourrait-on pas leur mettre un bracelet au poignet ? Les marquer au front, ça me gêne... Pas vous ?

Le professeur me regarda comme si j'étais Bouboulina en train de charger en chantant *L'Internationale*.

— On fait comme ÇA parce que c'est plus FACILE.

Je me souviens d'avoir pensé : « Et ta sœur ? Elle est facile ? » et d'avoir dit très courageusement :

— Ben oui, mais, moi, ça me dérange un petit peu...

Tout le monde ne peut pas être Che Guevara.

Je devais finir mon semestre avec une très mauvaise note en anatomie et un dégoût définitif pour la charcuterie espagnole.

— Aujourd'hui, dit Prof, on fait le bras. Puis suivront les jambes, la tête et le thorax. On gardera la cavité abdominale pour la fin, dans trois semaines.

En voila une idée qui se révélera mauvaise !

Intestin-odeur-mort-temps-qui-passe... Je vous laisse relier les points, mais ça avait fini dans le pif, et ça nous avait retourné le bide.

J'ouvrais... Allez, Homo sapiens sapiens, montre-moi ce que tu as sous le capot !

Je fus très déçu : le corps humain, le vrai corps humain, n'a rien à voir avec un atlas d'anatomie. Les veines ne sont pas bleu nuit, les artères ne sont pas écarlates ni les muscles orange. Je nous voyais comme des êtres incroyablement colorés, multicolores même, pleins de Post-it indiquant « muscle long extenseur de l'index » ou « articulation radio-ulnaire distale ». Eh bien non... Notre décoration intérieure est triste. Tout se mélange, serré en un lavis grisâtre un peu sale. Sous le capot, l'homme n'a pas de Post-it jaunes et tout ressemble à un ciel bruxellois au plus fort de l'automne.

Il faut que je revoie ma théorie : finalement, l'Homo sapiens post mortem n'est pas espagnol, il est gris-belge.

Il y a de nombreuses choses que j'aimerais vous raconter à propos de cette première fois. J'y ai compris ce qu'était la mort. La mort, c'est l'horizontalité (ce que corrobore ma position actuelle).

La vie tout entière tire vers le haut… Dans l'anatomie IN VIVO, tout est vertical : le fémur, l'humérus, l'œsophage, la colonne vertébrale – bien sûr. Nous mangeons : bouche, estomac, labyrinthe intestinal… Tout ce que nous avalons s'écroule sur notre fondement !

Et le sang ! Son va-et-vient incessant ! Par exemple, celui qui pulse dans nos têtes, sous nos tempes : savez-vous que, quelques instants plus tôt, il baignait nos pieds, du premier au cinquième orteil ?!

Quand on embrasse sur les lèvres ou qu'on regarde dans les yeux la personne qu'on aime, le même sang irrigue sa bouche, ses pupilles ET les parties les plus indécentes de son corps.

Oui, vraiment, il y a de nombreuses choses que j'aimerais vous raconter sur cette première fois. Sur ce qu'on ressent, là, aux rognons, quand le scalpel ouvre la peau d'un autre, quand on écarte les portes du mystère et qu'on pose une flamme sur l'obscurité. Pense-t-on assez combien l'intérieur de notre corps vit privé de toute lumière ? Là, sous la peau, c'est une nuit perpétuelle.

Soyons honnête, on n'y voyait rien dans ce corps, il n'y avait pas plus de muscles ni de tendons que dans un pot de rillettes. Je crois que c'était là le seul et unique enseignement à tirer de ce rite initiatique : si Dieu existe, il n'a soigné que la carlingue.

Jamais je n'oublierai ce matin-là, celui de la rencontre avec Marie B., celui de la blague de Diane, celui de la confrontation avec l'homme nu, coupé en deux, décortiqué, pelé comme une orange.

Trop d'années ont passé depuis ce jour-là et me voilà bien philosophe tout à coup. Pourtant, la table en fer-blanc sur laquelle je repose depuis mon décès et le linceul qui me recouvre ne prêtent pas beaucoup à l'introspection.

J'entends du bruit dans le couloir. Le jour a dû se lever depuis un moment et de nouveaux étudiants en médecine rongent sûrement leur frein en attendant d'entrer. On a glissé un bracelet d'identification à mon gros orteil gauche.

J'apprécie grandement l'attention.

Allons ! Quelle étrange destinée que la nôtre... On naît, on construit, on aime, on pleure, on se bat, on amasse des richesses, on comble des désirs sans fin et voilà qu'un point terminal, un minuscule point final, vient tout balayer. Alors, de la naissance, des trésors et des larmes, il ne reste plus rien.

Je pense à l'espace devant moi et à l'espace derrière moi. Que d'endroits où je ne suis pas allé ! Que de lieux où je n'irai jamais. J'aurais voulu me remplir du monde, l'avaler entier, m'en gargariser encore et encore... J'aurais voulu en fouler chaque pavé. Dieu que mon existence occupe peu de place dans le Grand Tout de l'Univers. Ai-je bien vécu ? Ai-je été bon ? Et utile ? Ai-je su profiter de chaque infime instant de ma vie ? Quelles questions, mais quelles questions ! C'est si dur de mourir ! La mort, ce n'est rien, mais mourir... Quelle aventure ambiguë !

Voilà, une porte s'est ouverte, des étudiants s'engouffrent dans la salle. On s'affaire autour de mon corps. On glousse, on plaisante, on se pousse du coude.

Bande de petits sauvages verticaux, vous y passerez aussi un de ces jours ! J'aimerais faire une dernière blague : me redresser en poussant un hurlement. Quelle peur ! Mais je ne peux pas, je manque d'énergie. D'ailleurs, je manque de tout. Autant laisser tomber.

Je me suis souvent demandé quels seraient mes derniers mots avant de découvrir l'au-delà et de devenir espagnol.

« *Viva España* ? »

Non, trop attendu.

« Où sont les toilettes ? »

Non, trop nul.

« *Hasta luego*, les gens ! *Y viva la vida* ! »

Non, trop facile.

On soulève le drap.

Je vois leurs visages.

Trois filles. Pas de garçon. Deux blondes, une brune. Les temps changent, la profession se féminise, paraît-il. Tant mieux.

Elles ont l'air excitées. Bientôt, elles ouvriront un thorax, verront un cœur. Elles glousseront sans se douter combien cette grosse poire dans ma poitrine a battu pour des filles comme elles. Elles détailleront les nerfs, muscles et tendons de mes bras, sans imaginer combien de fois ils coulissèrent harmonieusement dans le seul et unique but de remettre en place la mèche de cheveux d'un être adoré, adoré puis quitté et remplacé par un autre (oui, la vie avec Marie B. ne fut pas de tout repos...). Elles rougiront, gênées, devant mon pubis tout asséché par la mort, devant ce membre tout flapi, triomphant naguère, et auquel il ne manquait qu'un os pour être presque immortel. Mon pénis disparaîtra en premier. Avant de me rendre au néant, la mort me rendra femme.

Elles s'extasieront aussi, ces trois étudiantes, devant l'extraordinaire complexité de mes voûtes plantaires. Du coussinet veineux à mes métatarses, quel spectacle ! J'ai beaucoup marché, les filles, oui, beaucoup. N'ayez pas peur, approchez ! Il y a des continents et des paysages entiers sous mes pieds.

Enfin, elles ouvriront en deux mes beaux yeux verts, comme on découpe un litchi... Voilà, elles le font. Ça ne fait pas mal. Je vois de la lumière, je vais devoir partir... Que je vous dise avant, maintenant que j'ai les yeux ouverts, je sais. Quoi ? Ça : ce n'est pas l'amour qui permet au cœur de battre, ce sont des cellules musculaires, mais c'est la poésie, l'immortelle poésie, l'indéfectible poésie, l'inaltérable et légère poésie du monde qui a fait de l'amour le moteur du cœur des hommes. Il y aura forcément, à la fin des temps, à la fin du monde, un dernier poète qui écrira le dernier poème. Je me demande qui lira le dernier poème.

Il faut que je vous laisse, maintenant.

Si je le pouvais, je croiserais les doigts et je prierais très fort. Prier quoi ? Ça : que la fin du monde soit, déjà, le début de quelque chose.

Table

Baptiste Beaulieu
dans Le Livre de Poche

Alors voilà. Les 1 001 vies des Urgences n° 33618

Des Urgences du rez-de-chaussée aux soins palliatifs du cinquième étage, voilà la vie d'un jeune interne qui déteste commencer sa journée par une tentative de suicide. Une patiente en stade terminal s'impatiente : son fils est bloqué à Reykjavik à cause d'un volcan en éruption. Pour lui laisser le temps d'arriver, l'apprenti médecin se fait conteur. Se nourrissant de situations bien réelles, Baptiste Beaulieu passe l'hôpital au scanner. Il peint avec légèreté et humour les chefs autoritaires, les infirmières au grand cœur, les internes gaffeurs, les consultations qui s'enchaînent, les incroyables rencontres avec les patients... Par ses histoires d'une sensibilité folle, touchantes et drôles, il restitue tout le petit théâtre de la comédie humaine.

Du même auteur :

Alors voilà. Les 1001 vies des Urgences, Fayard, 2013.

La Ballade de l'enfant gris, Mazarine, 2016.

Le Livre de Poche s'engage pour l'environnement en réduisant l'empreinte carbone de ses livres. Celle de cet exemplaire est de :
300 g éq. CO_2
Rendez-vous sur www.livredepoche-durable.fr

Composition réalisée par Belle Page

Imprimé en France par CPI
en avril 2017
N° d'impression : 3022051
Dépôt légal 1re publication : août 2016
Édition 06 - avril 2017
LIBRAIRIE GÉNÉRALE FRANÇAISE
21, rue du Montparnasse - 75298 Paris Cedex 06

[illegible]

13/3519/8